Kennen Sie das? Allein der Gedanke an Smalltalk lähmt dermaßen, dass man auf der Party nur ein hilfloses »Und sonst so?« über die Lippen bringt. Oder aber, die Anatomie des eigenen Körpers und die neuesten Modetrends möchten beim besten Willen nicht zusammenpassen, und ausgerechnet beim ersten Date hat man mal wieder einen Bad-Hair-Day … Wenn solche und andere Alltagskatastrophen den Gute-Laune-Pegel kräftig nach unten drücken wollen, hilft ein Blick in Dora Heldts Kolumnen: Charmant, direkt und mit einem Augenzwinkern erzählt die symphatische Bestsellerautorin von den Höhen und Tiefen des Lebens, sodass man das Buch am Ende entspannt zuklappt und sich denkt: Im Grunde ist doch alles ganz einfach …

Dora Heldt, 1961 auf Sylt geboren, ist gelernte Buchhändlerin und lebt heute in Hamburg. Mit ihren Familien- und Frauenromanen führt sie seit Jahren die Bestsellerlisten an. Die Bücher sind fürs Fernsehen verfilmt und in etliche Sprachen übersetzt worden.

Dora Heldt

Im Grunde ist alles ganz einfach

Vom Weltuntergang,
von freien Gehirnzellen
und Frauenparkplätzen

Ausführliche Informationen über
unsere Autoren und Bücher
www.dtv.de

Von Dora Heldt
sind bei dtv außerdem erschienen:
Ausgeliebt (21006)
Unzertrennlich (21133)
Urlaub mit Papa (21143)
Tante Inge haut ab (21209)
Kein Wort zu Papa (21362)
Bei Hitze ist es wenigstens nicht kalt (21437)
Jetzt mal unter uns (21509)
Herzlichen Glückwunsch, Sie haben gewonnen! (21529)
Wind aus West mit starken Böen (21617)
Böse Leute (26087)

Originalausgabe 2016

Dieses Werk wurde vermittelt durch die Literarische Agentur
Thomas Schlück GmbH Garbsen
Umschlaggestaltung: dtv unter Verwendung
eines Bildes von Markus Roost
Illustration im Innenteil: Julia Knödler
Gesetzt aus der Joanna MT 10,5/15
Gesamtherstellung: Druckerei C.H.Beck, Nördlingen
Gedruckt auf säurefreiem, chlorfrei gebleichtem Papier
Printed in Germany · ISBN 978-3-423-21644-9

Inhalt

Anfang terrible 10
Von Floskeln und Phrasen 14
Rouladen für alle 18
Die Sache mit der Sippenhaft 22
Vorbereitung ist alles 26
Urlaubstrophäen 30
Im Wäsche-Wahn 34
Was braucht's zum Glück? 38
Kindheitsmuster 42
Alles geht besser mit vier Farben 46
Ein Herz für Nervensägen 50
Ich liebe Eselsbrücken 54
Aus sicherer Quelle 58
Urlaub ohne Männer 62
Hilfe, ein Selfie 66
Gekonnt ahnungslos 70
Die Eitelkeit der Männer 74
Geld oder Bratwurst? 78
Frühe Vögel, späte Knuts 82
Es gibt keine zu großen Taschen … 86

Der gestresste Mann 90
Sei nett zu Frauen! 94
So schmeckt Kindheit 98
Hommage an einen Mantel 102
So was von wichtig 106
Entscheidet euch doch mal! 110
Neue Tasche, neues Leben? 114
Nicht der Rede wert 118
Andere verpetzen? Ich doch nicht! 122
Bitte recht freundlich 126
Ferien? So ein Stress! 130
Will man das wissen? 134
Herz- oder Hirnkrise? 138
Wir parken besser 142
Zeichen von Versöhnung 146
Diese Jugend von heute 150
Schämen erlaubt 154
Der erste Eindruck 158
Jetzt bloß kein Foto! 162
Total herzlos 166
Alles so schön still hier 170
Wenn Oma das wüsste 174
Über Männer lästern 178
Kostprobe gefällig? 182
Kann denn Mode Sünde sein? 186
Diese Launen! 190
Entspannter Advent 194

Mehr Wein! Mehr Schaumbäder! 198
Alles muss raus! 202
»Was denkst du gerade?« 206
Liebes-Geflüster 210
Mein neuer Freund 214

Anfang terrible

Anna hat das schöne Wetter genutzt, um zum Grillen einzuladen. Im Vorfeld sagte sie mir, dass sie eine Freundin dazugebeten habe, die Axel, das ist Annas Mann, nicht leiden kann, weil sie immer so schlecht gelaunt ist. Dabei sei sie ganz nett, nur ein bisschen ungeschickt in Gesprächsanfängen.

Ich wusste erst gar nicht, was sie meinte, bis diese Freundin kam.

Wir saßen in Annas traumhaftem Garten, tranken kalten Weißwein, blinzelten in den blauen Sommerhimmel, und dann war sie da. Polterte auf die Terrasse, sah sich um und stöhnte: »Mein Gott, ist das schwül, es kommt bestimmt gleich ein Gewitter, dann könnt ihr alles wieder reinschleppen.« Alle waren irritiert. Auch als sie auf die von mir geschenkten Rosen deutete und fragte, ob die schon Läuse hätten, sie würden doch im Kübel niemals überleben. Das passierte alles in den ersten drei Minuten.

Da ist man als Gesprächspartner natürlich erstmal still. Vielleicht ist diese Freundin wirklich nett, möchte aber nicht am Anfang eines Abends ihr ganzes Sympathiepulver verschießen?

Ich hatte mal eine solche Kollegin. Sie kam morgens ins Geschäft und begrüßte mich entweder mit dem Satz: »Ich habe heute überhaupt keine Lust« oder »Was hast du denn gemacht? Deine Haare sind so komisch.« Wie soll man da die Kurve zu einer fröhlichen Antwort kriegen?

Anna kann auf diese Frage auch nur mit den Schultern zucken. Ihre muffige Freundin beginnt jedes Zusammentreffen auf diese Art. Beim letzten Mal trug Anna neue Schuhe, die Freundin warf einen Blick drauf und sagte: »Ach je, die hatte ich neulich auch probiert, die sind ja so schlecht verarbeitet, gehen sofort aus dem Leim.« Und als sie vorbeikam, um sich Annas neue Küche anzusehen, eröffnete sie den Besuch mit dem Satz: »Lackfront. Da hast du dauernd Fingerabdrücke drauf und putzt dir einen Wolf.«

Nach diesen Gesprächseinstiegen wird sie tatsächlich ganz nett, man glaubt es kaum. Sie muss nur am Anfang stänkern. Ich habe Axel gefragt, warum er sie trotzdem nicht leiden kann. Sie war auf seine und Annas Hochzeit eingeladen. Vor 15 Jahren. Und überreichte das Geschenk mit den Worten: »Dann wollen wir mal hoffen, dass es klappt. Ihr wisst schon, dass jede zweite Ehe geschieden wird?«

Seitdem mag er sie nicht. Und wenn er mit ihr reden

muss, dann beantwortet er alles, was sie sagt, ernsthaft. So wie beim letzten Mal. Sie begrüßte ihn mit: »Du siehst aber schlecht aus.« Und er antwortete freundlich: »Ja, du aber auch.« Da war sie beleidigt.

Was lernen wir daraus? Wir eröffnen ab sofort jedes Gespräch mit »Was ist das heute für ein schöner Tag« und bewundern als Nächstes das Aussehen des Gegenübers. Dann läuft es.

Mit Komplimenten auf der Zunge grüßt
Ihre Dora Heldt

Von Floskeln und Phrasen

Neulich war ich zu einem Geburtstag eingeladen, bei dem viele Leute waren, die ich schon lange nicht mehr gesehen hatte. Jetzt ist es natürlich schwierig, sofort bei der Begrüßung eine kluge Frage zu stellen. Gerade dann, wenn man die- oder denjenigen ewig nicht gesehen hat, nicht weiß, was sie oder er inzwischen macht, und auch keine Ahnung hat, was es überhaupt für ein Mensch ist. Aber muss diese Frage tatsächlich lauten: »Was macht die Kunst?« Wie, bitte, soll ich das ernsthaft beantworten? Soll ich über die Einsparungen der Kulturbehörden oder über Sanierungsstaus in den Museen reden? Noch schlimmer: »Was macht die Welt?« Antworten, die Klimakatastrophen oder Außenpolitik beinhalten, würden doch die Party sprengen. Natürlich kann ich Floskeln benutzen, die diese Fragen verdienen, so etwas wie »Am liebsten gut« oder »Gestern ging's noch«. Aber will man das?

Ich bin jedes Mal ratlos, wenn Gespräche in dieser Art beginnen. Ich möchte mich ja bemühen, jede Frage, die mir gestellt wird, wahrheitsgemäß und ordentlich zu beantworten, aber was ist denn die Wahrheit, wenn man mich fragt: »Und?« Da stehe ich dann da und mache ein blödes Gesicht. Small Talk macht mich sowieso langsam im Kopf. Da bewundere ich meine Gesprächspartner, denen ein flottes »Ja, da muss man sich nichts vormachen« oder »Das muss man auch mal so sagen können« bis hin zu »Da hast du ja wohl deine Hausaufgaben nicht gemacht« so locker von den Lippen geht. Und ich denke dagegen immer noch darüber nach, was die Kunst macht. Ganz beliebt sind ja auch diese Stehsätze, also die Floskeln, die irgendjemand raushaut, wenn eine zusammenstehende Gruppe plötzlich schweigt. Am liebsten mag ich da: »Es ist, wie es ist.« Dem ist doch überhaupt nichts hinzuzufügen, was der Gruppe letztlich gar nichts nützt. Es ist ja immer noch Stille. Da hilft auch ein »Es hätte noch schlimmer kommen können« wenig. Meist setze ich mich dann ab und schlendere auf der Suche nach einem bekannten Gesicht durch den Raum, finde auch oft eines, das mich dann mit einem fröhlichen »Ach, du auch da?« begrüßt. Ein alter Bekannter fügte noch ein »… und nicht in Hollywood?« hinzu. Da hänge ich wieder im Text. Kann mich auf einer Party nicht mal jemand fragen, wann ich morgens aufgestanden bin, wie lange ich für den Weg hierher gebraucht habe, was ich am Wochenende mache oder ob ich Interesse an einem neuen Fahrrad habe? Irgendetwas, worauf ich ernsthaft und überlegt antworten kann.

Meinetwegen können wir auch übers Wetter reden, wenn wir den Satz »Wir können das Wetter ja nicht machen« auslassen. Es ist nur ein Vorschlag, vielleicht klappt es. Aber, wie ich neulich gehört habe, wir stecken ja nicht drin.

Mit der flotten Frage »Und sonst?«
grüßt Ihre Dora Heldt

Rouladen für alle

Ich wollte meiner Mutter irgendwas Wichtiges erzählen, deshalb habe ich sie angerufen. Sie nahm den Anruf mit hektischer Stimme an und sagte: »Ein furchtbarer Tag. Ich habe überhaupt keine Zeit zu telefonieren, ich brate Fleisch.« Dann legte sie auf. Ohne zu fragen, was ich überhaupt wollte.

Und ich machte mir Gedanken, welche Katastrophe meine Mutter ereilt hatte. Nachdem sich Bilder von Unglücken, Bränden, Sturmfluten und ähnlichen Dingen in meinem Kopf aufgebaut hatten, rief ich nach einiger Zeit unruhig wieder an. Sie ging nicht ran, erst am frühen Abend meldete sie sich zurück. »Du kannst dir nicht vorstellen, was wir hier für einen Stress hatten«, sagte sie. »So ein Ärger, ich bin fix und fertig.« Auf meine vorsichtige Frage, was denn Schlimmes passiert sei, kam ein anklagendes: »Die Truhe ist kaputt. Die rote Leuchte war an. Alles angetaut, die ganzen Lebensmittel hin, und die neue Truhe kommt erst morgen.«

Für alle, die die Vorratshaltung meiner Mutter und Tanten nicht kennen: Diese rote Leuchte ist eine Katastrophe. Wir haben nämlich keine kleinen, praktischen Gefrierschränke, in denen man vielleicht eine Pizza und zwei Beutel Petersilie einfriert. Nein, wir haben Gefriertruhen. Große Geräte, in denen mehrere Brote, mindestens fünf Kuchen, alle Gemüsesorten, kiloweise Butter, ein halbes Rind und verschiedene Sorten Fisch eingefroren sind. Falls mal was passiert. Oder eine Kleinigkeit fehlt. Anscheinend rechnen die Frauen meiner Familie immer damit, dass man tagelang einschneit, wenn das Haus gerade voller Besuch ist, ein Bus mit hungrigen Menschen vor der Tür strandet oder man Weihnachten vergessen hat. Und dann muss man plötzlich kochen. An einem Sonntag, wenn alles geschlossen hat. Da ist es doch besser, etwas im Haus zu haben. Die volle Truhe gibt einfach ein sicheres Gefühl.

Wenn da nur nicht die rote Leuchte wäre. Angetaute Lebensmittel müssen verarbeitet werden, das wissen wir ja. Und so hat meine Mutter den ganzen Tag Fleisch gebraten, Fisch eingelegt, Gemüse geputzt und telefoniert, um Abnehmer für ihr spontanes Catering zu finden. Entsorgen wäre für sie nicht in Frage gekommen, meinen entsprechenden Vorschlag hat sie mit einem Vortrag beantwortet, der mit »Das ist typisch, ihr schmeißt immer gleich alles in den Müll« anfing und mit »Jetzt machst du dich lustig, aber wenn du hier bist, willst du Rouladen essen« aufhörte. Jedes Argument dagegen hätte sie noch mehr aufgeregt. Als wenn ich mitreden könnte, mit meinem kleinen Fach für Petersilie und eine kleine Pizza.

Am Wochenende fahre ich sie besuchen. Ich nehme eine Kühltasche mit. Also, wenn Ihnen noch etwas fehlt, geben Sie kurz Bescheid. Die neue Truhe ist wieder voll.

Mit grünem Leuchten in den Augen grüßt
Ihre Dora Heldt

Die Sache mit der Sippenhaft

Nele hat sich in einem Baumarkt danebenbenommen. Das hat sie mir gestern Abend wütend am Telefon erzählt und wurde noch wütender, als ich bei der Schilderung des Vorgangs einen Lachkrampf bekommen habe. Ihr ganzer Tag war nicht rundgelaufen. Begonnen hatte alles damit, dass sie auf dem Weg ins Büro ihren Müllbeutel in die Tonne werfen wollte. Die war aber knallvoll, weil die Müllabfuhr sie nicht geleert hatte. Und das bereits das zweite Mal, weil, laut Nele, »ein verblödeter Mieter Plastikbecher in die Biotonne gedonnert hat«. Dann nämlich wird der Müll stehen gelassen. Also musste sie ihren Beutel wieder in die Wohnung bringen, kam ein paar Minuten zu spät zu einer Besprechung und kassierte den Kommentar eines Kollegen, dass Frauen im Bad morgens eben länger bräuchten. In der Mittagspause, zu der sie erst spät kam, gab es in der Kantine nur noch Gemüselasagne. Nele hat nichts gegen vegetarische Küche, überhaupt nicht, aber es war das vierte Mal in Folge, dass es nur noch vegetarische Gerichte gab. Sie wurde von der Kantinenleitung belehrt, dass immer mehr Frauen vegetarisch essen und deshalb die Anzahl der Fleisch- und Fischgerichte seit einigen Monaten drastisch reduziert wurde. Das erinnerte Nele an den Vorabend, an dem sie bei Freunden zum Grillen eingeladen war. Das Fleisch war relativ schnell weg, was Nele gar nicht so störte, aber dass es nach zwei Stunden auch kein Bier mehr gab, weil Frauen an diesem Abend in der Überzahl waren und erfahrungsgemäß fast nur Sekt oder Wasser trinken, und der Gastgeber hilflos zugeben musste, dass er einfach die falschen Getränke gekauft hatte, das fand Nele unmöglich. Genauso, wie viermal nacheinander Gemüselasagne.

»Es ist ungerecht«, hat sie am Telefon gesagt. »Einer müllt falsch, alle leiden, andere essen vegetarisch, also gibt es wenig Fleisch, manche trinken dauernd Sekt und ich kriege kein Bier mehr. Das ist Sippenhaft.« Und eine weitere kam am Abend dazu. Nele hat sich mit ihrem Staubsauger zum wiederholten Mal unter ihrem Schreibtisch in den unsortierten Kabeln verheddert. Die Folge waren eine kaputte Steckdose und eine kaputte Schreibtischlampe. Um endlich den Kabelsalat zu ordnen, ist Nele in den Baumarkt gegangen. Und jetzt stellen Sie sich vor, was seit dem Filmstart von »Fifty Shades of Grey« passiert, wenn eine Frau einen Mitarbeiter des Baumarktes fragt, wo sie denn Kabelbinder findet. Richtig. Der junge Mann hat gegrinst. Und wissend genickt. Ja, und dann ist Nele ein bisschen ausgeflippt und hat den überraschten Mitarbeiter zur Schnecke gemacht. Sie hätte den Film gar nicht gesehen, sondern nur Chaos unterm Schreibtisch und bräuchte unerotischen Kabelbinder! Warum Männer denn bloß immer solche Gedanken hätten?

Mit der Überlegung, wann genau Sippenhaft anfängt,
grüßt nachdenklich Ihre Dora Heldt

Vorbereitung ist alles

Meine Freundin Nele hat mir doch tatsächlich vorgeworfen, dass ich viel zu zwanghaft bin. Ich habe natürlich energisch protestiert und ihr gleich im Gegenzug fehlende Ernsthaftigkeit im Leben attestiert. Ausgelöst wurde das Gespräch durch die Tatsache, dass ich im Moment wenig Zeit habe, da ich dreimal in der Woche zum Sport muss. Nicht, weil ich mich zur Bikini-Figur quäle oder es mir mehr als sonst Spaß macht, sondern weil ich mit meiner Freundin Rita in drei Monaten für eine Woche Urlaub in einem Sportclub mache und deshalb trainieren muss.

Nele hat mir dann aufgezählt, was ich sonst noch so tue, um mich auf Dinge vorzubereiten: Ich koche jedes Essen, zu dem ich einlade, vorher mindestens zweimal. Ich probiere alle Kleidungsstücke in der richtigen Kombination an, bevor ich sie in einen Koffer packe. Ich bin noch nie zu einem wichtigen Termin gefahren, ohne mir vorher alles einmal angesehen zu haben – also den Weg, den Veranstaltungsort, die Namen der anderen Teilnehmer und die Fahrzeiten. Ich schreibe Karten und

Einladungen vor. Ich wasche und föhne mir die Haare, bevor ich zum Friseur gehe, meine Füße und Hände sind vor Kosmetikterminen ähnlich vorbereitet. Ich lese sämtliche Kritiken, bevor ich in ein Theaterstück oder ins Kino gehe. Wenn ich ein Hotel buche, habe ich mir mindestens dessen Bildergalerie im Internet angesehen, ein Film beruhigt mich noch mehr.

Und das alles hat mir Nele nun vorgeworfen, angeblich sind es auch nur ein paar Beispiele, das wäre noch längst nicht alles. Ich begreife nur nicht, was dabei ihr Problem ist. Nehmen wir mal meinen Urlaub mit Rita. Ich will doch in einem Sportclub nicht nach zehn Minuten japsend in Ohnmacht fallen oder mich zum Gespött machen. Also bereite ich mich vor. Genau wie auf den Friseur und die Kosmetik. Ich möchte nicht wie der letzte Feger dahin gehen und den Gedanken provozieren: »Das wird hier ja höchste Zeit!«, oder auf dem Weg in diesem Zustand noch jemanden treffen. Schlimme Hotels lösen bei mir Heimweh aus, deswegen sehe ich sie mir vorher genau an, und schlechte Filme halte ich für Zeitverschwendung. Genauso wie die panische Suche nach fremden Adressen, wo ich Termine habe. Und das passiert eben nicht, wenn ich vorher schon mal da war. Ich kann auch nicht so richtig gut nach Gefühl kochen, deshalb probiere ich aus Zuneigung für meine Gäste alles vorher aus.

Ich finde, Vorbereitung gibt Sicherheit. Das lernt man

in jedem Seminar gegen Lampenfieber, und das bekomme ich schnell, wenn alles neu und fremd ist. Da stehe ich zu. Und im Übrigen geht Nele vor jedem Urlaub unter die Sonnenbank. Damit ihr der gelbe Bikini steht. Ich finde das zwanghaft.

Mit vorbereiteten Grüßen
Ihre Dora Heldt

Urlaubstrophäen

So langsam kommen alle wieder zurück aus den Ferien. Und bald werde ich wieder eingeladen zu landestypischen Gerichten, die man im Urlaub jeden Tag gegessen hat und mit denen man das Urlaubsgefühl verlängern will. Und wie immer sind die Gastgeber ein bisschen enttäuscht, weil nichts so schmeckt wie auf der Sonnenterrasse des Hotels. Selbst der mitgebrachte Hauswein ist nur ein eher durchschnittliches Getränk, obwohl er am Urlaubsort der beste Wein war, den man je getrunken hat. So ist es eben. Dabei war der Urlaub so schön, nicht nur das Essen und der Wein, auch Land und Leute und erst recht das Wetter. Letzteres sieht man an der sonnengebräunten Haut der Gastgeber. Und das ist ihre beste Urlaubstrophäe, für die im Übrigen auch viel getan wird.

Ganz wichtig ist die nahtlose Bräune. Es sieht sie zwar nicht jeder, aber man weiß es. Natürlich werden heute die Mahnungen der Dermatologen beherzigt und es wird Sonnenschutz verwendet. Das ist klar. Aber die nahtlose Bräune ist weniger eine Sache des Eincremens als der Technik. Es kommt auf das richtige Timing und die richtige Stellung an. Ich hege eine große Bewunderung für die Frauen, die sich bäuchlings auf der Liege mit eleganten Bewegungen das Bikinioberteil öffnen, damit es auf dem Rücken keinen weißen Querstreifen gibt. Zum Öffnen des Verschlusses gehört eine gewisse Gelenkigkeit in der Schulterpartie, es ist nicht so einfach, wie es aussieht. Noch schwieriger ist übrigens das Schließen des Kleidungsstücks, bevor man sich wieder auf den Rücken dreht. Das Losbinden der Träger in der Rückenlage ist etwas einfacher, stellt aber Ungeübte auch vor eine Herausforderung.

Wenn Sie jetzt denken, dass die Technik des nahtlosen Bräunens eine Marotte von Frauen ist, muss ich Sie enttäuschen. Männer sind darin fast noch besser. Meine Lieblingsbeobachtung dieses Sommers war das Vorgehen eines Mannes mittleren Alters, der tatsächlich sehr lange nackt am Strand stand. Er las dabei ein Buch, über das er eine Brille hielt, damit das Gestell keine Spuren im Gesicht hinterließ. Und er drehte sich sehr langsam im Uhrzeigersinn, damit wirklich jeder Zentimeter von der Sonne bestrahlt wurde. Ich habe ihn irritiert angesehen, er hat mich mit seinem Herumstehen etwas nervös gemacht, aber er hat nur herablassend zurückgeblickt.

Ich habe überlegt, ob er ahnte, wie albern er dabei aussah, aber so etwas sagt man nicht. Er stand so über eine Stunde herum. Wie ein Mast am Strand. Aber als er sich bückte, um seine Sachen aufzuheben, da sah ich die beiden weißen Halbmonde unter seinem Hintern. Das ist die Schwerkraft. Ich hätte ihm das sagen müssen, dann hätte er vielleicht noch einen Kopfstand gemacht. Ich habe es verpasst.

Mit weißen Streifen am Rücken grüßt
Ihre Dora Heldt

Im *Wäsche-Wahn*

Kaufen Sie eigentlich gern Wäsche? Es geht nicht um die Frage, ob Sie gern schöne Wäsche besitzen, sondern ob Sie sie gern kaufen. Wenn es Ihnen dabei so geht wie mir, dann schütteln Sie jetzt betreten den Kopf. Wenn Sie begeistert nicken, dann haben Sie einen unkomplizierten Körperbau. Herzlichen Glückwunsch. Den habe ich nicht. Und deshalb hat mir das Kaufen schöner Wäsche bislang mehr Frust als Freude gemacht. Ich habe nämlich wenig Oberweite, dafür ein breites Kreuz – umgedreht wäre alles einfacher.

Die Frauen mit schmalen Schultern und mindestens B-Körbchen ausfüllendem Busen haben es leichter. Das weiß ich von Anna, die hat genau die richtigen Proportionen. Sie geht in eine Wäscheabteilung, greift sich die hübschesten BH-Modelle, bezahlt, und fertig. Sie kann sich manchmal nur schlecht entscheiden, weil es so viel Auswahl in ihrer Größe gibt.

Das ist bei mir ganz anders. Ich muss Glück haben und dazu noch eine Wäscheverkäuferin, die ein Herz für Frauen wie mich hat und deshalb auch kleine Körbchen für breite Rücken bestellt. Zumal ich auch aus der Generation komme, die die Ermahnung ihrer Mütter und Großmütter verinnerlicht hat: »Denk an deine Unterwäsche! Wenn dir was passiert, was sollen die Ärzte sagen?« Also muss der BH auch noch vom passenden Slip begleitet werden, und das ist nun wirklich nicht leicht.

Ich bin also gestern, nach Durchsicht meiner Wäsche im Schrank, notgedrungen und ohne große Erwartungen in ein Wäschegeschäft gegangen. Dort angekommen atmete ich tief durch, konzentrierte mich auf die winzige Schrift an den kleinen Pappschildern, die von den Trägern baumelten, und gelobte, nicht enttäuscht zu sein. Wenn es keine schöne Wäsche in meiner BH-Größe gab, dann würde ich eben einfach etwas nicht so Hübsches kaufen, Hauptsache, es war neu und die Ärzte würden nicht schlecht über mich denken.

Und plötzlich war sie da: meine Wäschefee. Stand vor mir, fragte freundlich, ob sie mir helfen könnte, und warf einen kurzen Blick auf meinen Busen. Meine Antwort, dass ich nicht genau wüsste, welches Modell sitzen könnte, unterbrach sie mit einer Geste, die mich in die Umkleide schickte, und dem Satz: »Ich suche Ihnen etwas Passendes raus.« Als ich noch sagte: »Meine Größe ist …«, winkte sie wieder ab und sagte: »Ich weiß.«

Und dann geschah das Wunderbare. Meine Wäschefee, eine nicht mehr ganz junge, nicht ganz schlanke, nicht sehr große Dame brachte mir fünf BHs mit passenden Slips, einer schöner als der andere, half mir bei der Begutachtung, verstellte Haken und Träger und entschied, welche die besten für mich waren. Und deswegen singe ich jetzt hier ein Loblied auf die perfekten Wäscheverkäuferinnen, die nur einen Blick brauchen, um uns durch den Wäschedschungel zu geleiten. Danke, dass es euch gibt!

Mit feiner Wäsche und schönem Dekolleté grüßt
Ihre Dora Heldt

Was braucht's zum Glück?

Englische Forscher haben festgestellt, dass die Zufriedenheit von Frauen mit 50 am höchsten ist. Das war das Ergebnis einer neuen Studie, von der ich im Radio hörte. Ich habe sofort begeistert zugestimmt, weil auch ich in dieser Altersgruppe und tatsächlich sehr zufrieden bin. Und nicht nur ich, sondern auch mehrere Freundinnen und Kolleginnen. Uns alle eint die Lebenserfahrung, die uns gelassen, heiter, unabhängig und selbstbewusst gestimmt hat.

Einige von uns haben Karriere gemacht, andere haben alle möglichen Länder und Orte besucht, mehrere haben wunderbare Kinder, die jetzt endlich selbstständig und ausgezogen sind, wieder andere sind am entspannten Punkt ihrer Beziehung angekommen, an dem die immer wiederkehrenden Streitthemen nun endgültig abgehakt sind, ein paar haben ihre Wohnungen oder Kredite abgezahlt, das Leben kann so schön sein. Wir müssen niemandem mehr etwas beweisen, wir blicken eher gerührt und nicht mehr neidisch auf die jüngere Generation, wir haben so viel geschafft und erlebt, da kann man schon von einer gewissen verdienten Zufriedenheit sprechen.

Ich hatte die Radiomeldung nicht ganz verfolgt, sondern nur das Ergebnis dieser Studie mitbekommen. Umso gespannter las ich abends in der Zeitung die ganze Meldung, bis hin zur Begründung. Und jetzt kommt es. Halten Sie sich fest. Die Begründung für die große Zufriedenheit von Frauen mit 50 lautet: Sie zählen keine Kalorien mehr. Fertig. Ganz im Ernst. Keine Rede von Selbstständigkeit, geglückten Familien, Gelassenheit, Humor, Erfahrung, Charme oder anderen Erfolgen, nein: Wir zählen jetzt keine Kalorien mehr und haben uns mit unseren Körpern ausgesöhnt. Das ist doch wohl ein Witz!

Waren wir früher schlecht gelaunt und frustriert, nur weil die Jeans zwickte und Pizza viele Kalorien hat? Und sind wir jetzt glückliche Dicke, weil uns sowieso alles egal ist? Natürlich zählen wir keine Kalorien mehr, wir haben die richtigen Lebensmittel im Kopf und wissen, was für uns gut ist und was nicht. Und wir machen uns auch nicht mehr verrückt, weil plötzlich eine Rolle auftaucht, die wir neulich noch nicht hatten. Aber es ist doch nicht so, dass wir jahrzehntelang nur Kalorienzählen zu unserem Glück brauchten.

Welche Fragen haben diese englischen Wissenschaftler denn bei ihrer Studie gestellt? Und warum haben sie den Frauen nicht zugehört? Also, ihr Lieben da in London: Wir haben schon noch ganz andere Dinge gemacht, als beim Essen zu rechnen, hört ihr? Das lief höchstens nebenbei. Wenn wir mal Zeit hatten, daran zu denken. Vor lauter Leben.

Mit einem Rüffel an die englische Wissenschaft und dem Aufruf, bei der nächsten Studie nicht ganz so albern zu sein, grüßt
Ihre Dora Heldt

Kindheitsmuster

Neulich habe ich das Haus meiner Eltern eingehütet. Das ist jetzt eigentlich keine Sensationsmeldung, es ist schließlich ganz normal, dass Kinder auch mal auf die Besitztümer der Eltern aufpassen und umgedreht, aber in diesem Fall hat mir die Woche meine Grenzen aufgezeigt und mir auch klargemacht, dass mein Alter überhaupt keine Rolle spielt und auch ein gewisses Maß an Selbstständigkeit und Erfolg völlig irrelevant für meine Rolle in der Familie ist.

Ich bin nämlich diejenige unter meinen Geschwistern, die am häufigsten den Schlüssel verloren, die Fenster aufgelassen, das Licht nicht gelöscht und die Türen nicht abgeschlossen hat. Damals. Vor etwa 40 Jahren. Aber das sitzt noch, zumindest bei meinem Vater. Jetzt konnten in der besagten Woche aber weder mein ordentlicher Bruder noch meine umsichtige Schwester, also fiel das Los auf mich.

Meine Eltern haben sich natürlich gesagt, dass meine jugendliche Schusseligkeit lange verjährt ist, ich erwachsen und ernsthaft bin, seit Jahrzehnten meine eigene

Wohnung habe und mit der auch fertigwerde, deshalb haben sie nur ein paar wenige Sicherheitsmaßnahmen getroffen.

Auf eng beschriebenen Seiten wurde mir sehr ausführlich die Funktion der Wasch- und Geschirrspülmaschine, das Vorgehen bei der Mülltrennung und das Abhören des Anrufbeantworters erklärt. Die zahlreichen Schlüssel (Haustür, Gartenpforte, kleiner Schuppen, großer Schuppen, Fahrradschloss – wichtig, Fahrrad immer abschließen! –, Garage und Briefkasten) waren mit farbigen Bändern und kleinen Schildern umwickelt. Zur Sicherheit war die Telefonnummer unserer Nachbarin Heidi notiert, die wüsste mit allem Bescheid, wenn etwas wäre, könnte ich jederzeit rübergehen, sie würde mich dann retten.

Etwas ungehalten nahm ich mir nach der Lektüre der detaillierten Anweisungen vor, einmal ernsthaft mit meinen Eltern zu sprechen, es konnte doch nicht sein, dass sie mir nicht mehr zutrauten als einer Zwölfjährigen.

Am Abend meiner Ankunft klingelte übrigens noch Heidi, die mich besorgt fragte, ob ich klarkäme. Wenn etwas sei, könne ich jederzeit rüberkommen. Ich habe gelacht und höflich gesagt, ich würde reinschauen, bevor ich wieder fahre.

Ich habe aber dann noch am selben Abend reingeschaut. Weil ich beim Kontrollieren der Außenlampen die Tür hinter mir zugeknallt habe und der Schlüssel in meiner Jacke an der Garderobe war.

Am nächsten Tag war ich mittags da, um sie zu fragen, wo meine Mutter diese Glasschale gekauft hat, die mir beim Spülen aus der Hand gerutscht ist. Und jetzt müsste ich wissen, ob Kaffeefilter in die Biotonne oder auf den Kompost sollen. Und nur, weil ich alles richtig machen will. Das kommt, wenn Eltern ihren Kindern nichts zutrauen. Dann werden die nie selbstbewusst. Und das ist nicht gut.

Mit Vorfreude auf die Rückkehr ihrer Eltern grüßt
Ihre Dora Heldt

Alles geht besser mit vier Farben

Ich habe in einer alten Schachtel meinen alten Vierfarbenstift gefunden. Ein silberner Kugelschreiber, in dem vier verschiedenfarbige Minen stecken: rot, grün, blau und schwarz. Mittlerweile sind die Minen eingetrocknet, er ist auch nicht mehr silbern, sondern mehr schwarz, mir ist aber sofort wieder eingefallen, warum ich ihn mir damals, als ich 16 wurde, unbedingt gewünscht habe. Ich habe jedes Jahr ein neues Tagebuch begonnen. Auf der ersten Seite gab es eine Jahresübersicht, auf der das Jahr vierfarbig geplant wurde.

Mit Rot wurden Ereignisse notiert, die garantiert und ganz bestimmt großartig werden würden. Im Februar die Faschingsparty in der Schule, im März der Geburtstag meiner besten Freundin, Ostern, Pfingsten, im Mai eine Grillparty, im Juni Sportereignisse, im Juli die Sommerferien, im August ein Familienfest, im Oktober wieder Ferien, im November mein Geburtstag, im Dezember Weihnachten und Silvester.

Blau waren ganz gute, aber nicht unbedingt prickelnde Ereignisse, wie Geburtstage der Eltern und Geschwister, Kurzbesuche bei Oma und Tanten oder die Anlieferung des neuen Schreibtisches fürs Jugendzimmer.

Grün waren die Hoffnungsschimmer, wie Partys, bei denen man vielleicht eingeladen wurde, Kinofilme, die man noch nicht kannte, oder Gelegenheiten, bei denen man möglicherweise, mit viel Glück, den Herzallerliebsten, der noch nicht wusste, dass er der Herzallerliebste war, treffen konnte.

Und schwarz waren dann die Termine, die man nicht leiden konnte, die aber trotzdem in die Übersicht mussten. Zahnarzt, Mathearbeit, Bundesjugendspiele. Da waren erst an den Tagen danach rote Punkte im Kalender. Wenn man die schwarzen Termine endlich überstanden hatte.

So ergab sich ein sofortiger Überblick über das, was mich alles erwartete. Wenn die roten und grünen Punkte dominierten, standen mir wunderbare Zeiten bevor. Was soll ich Ihnen sagen? Das System klappt noch immer. Ich habe mir vier neue Minen gekauft, den Stift geputzt und mir meinen Kalender vorgenommen. Heute sind es etwas mehr schwarze Termine als früher, die roten Punkte danach habe ich dafür etwas dicker gemalt. Die blauen, neutralen Termine sind übers Jahr friedlich verteilt, aber die roten und grünen dominieren eindeutig. Geburtstage, Shoppingtouren, Verabredungen, Kinofilme, Bücher, Urlaube, Fernsehserien, neue CDs, Frühlings- und Sommeranfang, man muss alles nur in Rot oder Grün eintragen. Dann stehen uns wunderbare Zeiten bevor.

Viel Spaß dabei – es grüßt vierfarbig
Ihre Dora Heldt

Ein Herz für Nervensägen

Neulich habe ich mich mit einem alten Freund zum Essen getroffen. Er ist ein sehr freundlicher Mensch, tolerant, ausgleichend und sehr entspannt. Am Nebentisch dagegen saß ein wirklich unsympathischer Typ, einer von denen, die jeden kennen, alles können und schon überall gewesen sind. Und das auch lautstark von sich geben müssen. Irgendwann habe ich genervt geflüstert, dass ich diesem Vollidioten gleich sagen würde, was ich von ihm halte. Und was macht mein alter Freund? Er sieht mich entgeistert an und sagt: »Aber du weißt doch gar nicht, was ihn dazu getrieben hat, so zu sein. Vielleicht hatte er als Kind Schwierigkeiten oder wird nicht anerkannt oder ist gerade unglücklich. Du musst nicht so vorschnell urteilen.« Aha.

So ist es also. Ich urteile vorschnell. Und soll Verständnis haben. Weil ich nicht weiß, was dahintersteckt. Vielleicht stand der junge Mann, der mit seinem Auto eine Viertelstunde lang die einzige Dieselzapfsäule blockierte, an der auch ich tanken wollte, einfach nur kurz vor dem Hungertod. Er aß nämlich im Verkaufsraum der

Tankstelle in aller Ruhe eine Wurst und war sicherlich vorher nicht mehr fähig gewesen, sein Auto ein paar Meter weiter zu parken. Aus Schwäche.

Aus demselben Grund bleiben manche Menschen vielleicht in der Sauna lang ausgestreckt liegen, auch wenn andere hilflos an der Tür stehen und einen Platz suchen. Sie haben die Schwäche im Rücken und kommen nicht hoch. Oder durften lange nicht liegen.

Und wer weiß schon, warum es einigen nicht gelingt, in einem Selbstbedienungsrestaurant nach dem Essen ihr Tablett zurückzubringen. Es kann Kraftlosigkeit sein, entzündete Handgelenke oder ein mangelnder Orientierungssinn, man muss ja die Geschirrannahme finden. Sie können gar nichts dafür, dass der Tisch blockiert bleibt, bis jemand Fremdes ihnen das Zeug wegräumt.

Auch die Mitmenschen, die in Cafés gleich mal alle verfügbaren Zeitschriften mit an den Tisch nehmen, haben möglicherweise ein Geheimnis. Vielleicht können sie gar nicht lesen und versuchen, es so zu verbergen. Oder sie durften in ihrer schlechten Kindheit nie eigene Zeitschriften haben und holen das jetzt nach.

Das betrifft bestimmt auch die Leute, die irgendwo reinkommen und sofort ein Fenster aufreißen. Die haben bestimmt früher mit 14 Geschwistern in einem hermetisch verriegelten Keller geschlafen. Die brauchen das jetzt. Da darf man doch gar nichts sagen.

Sie sehen, ich habe die Haltung meines großherzigen

Freundes fast ganz verinnerlicht. Ich nutze jetzt meine ganze Kraft, um mir die manchmal traurigen Gründe für schlechtes Benehmen auszumalen. Und dadurch regt man sich tatsächlich weniger auf.

Immer auf der Suche nach Erklärungen grüßt
Ihre Dora Heldt

Ich liebe Eselsbrücken

Manchmal habe ich in den letzten Monaten das Gefühl gehabt, dass meine Erinnerungsfähigkeit sich in Watte auflöst. Ich glaube, es liegt daran, dass man überhaupt nicht mehr richtig denken muss. Anna und ich haben uns neulich während eines Essens darüber unterhalten, ob Gorbatschow eigentlich den Friedensnobelpreis bekommen hat. Bevor ich anfangen konnte, mich zu erinnern, hat Anna schon im iPhone gegoogelt. Klar, hat er, und zwar 1990. Im Laufe des Abends diskutierten wir auch noch über den Film »Rain Man«, wir stritten darüber, wer die beiden Hauptrollen gespielt hatte. Ich wäre nicht mehr auf Tom Cruise gekommen, Anna hat es aber sofort im Netz gefunden. Mein Hirn hatte noch nicht einmal mit der Suche begonnen. Es ist doch nervig, dass jede Information, die man meint zu brauchen, sofort über die moderne Technik abrufbar ist. Egal, ob man nach den Popstars des Jahres 2001 sucht (Comeback von Kylie Minogue), das Jahr des Rücktritts von Steffi Graf (1999 in Heidelberg), die Trennung der Beatles (1970) oder das Gewicht eines Eiweißes (30 Gramm) –

sobald eine Diskussion am Tisch entsteht, zieht sofort jemand ein Smartphone oder Tablet aus der Tasche und verkündet lauthals und überzeugt die benötigte Information.

Es macht doch wirklich keinen Spaß mehr, wenn man sich überhaupt nicht mehr erinnern muss. Früher gab es so wunderbare Eselsbrücken, ich war sehr begabt, die richtigen zu finden. Eine meiner alten Telefonnummern setzte sich zusammen aus dem Jahrgang meiner Schwester, meiner Zwischenprüfung, Deutschland als Fußball-Europameister und meinem Abschlussball. Das klappte immer, es war ganz einfach. Auch das Jahr der Hochzeit von Königin Silvia und Carl Gustaf konnte ich mir gut merken, weil der Schwede Björn Borg im selben Jahr zum dritten Mal Wimbledon gewonnen hat. Aber solche Brücken baut man gar nicht mehr, weil sofort jemand googelt. Es ist schade. Aber es gibt auch Abende, wo man zu fünft über alte Fernsehserien diskutiert und plötzlich auf eine kommt, die man als Kind geliebt hat. »Lieber Onkel Bill«, das wusste Anna noch, aber dann fiel uns der Name unserer Lieblingsfigur nicht mehr ein. Nele konnte sich noch an die Zöpfe erinnern und nahm vorfreudig ihr Handy aus der Tasche. Ihr Akku war leer. Das Telefon ging noch nicht einmal mehr an. Anna und Axel hatten kein Netz, mein Liebster hatte gar kein Handy mit, alle waren verzweifelt, aber ich hatte meinen großen Moment. »Buffy«, habe ich gesagt und gelächelt. »Und ihre Puppe hieß Mrs. Beasley.« Sie haben mich alle angestarrt. Wie eine Außerirdische. Ohne Technik. Und es ist mir trotzdem eingefallen. Nur mit Hirn.

Beglückte Grüße,
Ihre Dora Heldt

Aus sicherer Quelle

Manche Menschen reden einfach gern. Und sie wissen noch lieber alle möglichen Dinge, die sie uns als Erstes erzählen. Weil sie sich so gut auskennen. Und weil sie immer ein bisschen mehr wissen als die anderen. Wir haben diese Spezies, wenn sie weiblich ist, Schwatzbiene getauft.

Neulich war ich mit Nele auf einem Fest, und nach kurzer Zeit haben wir bemerkt, dass die rothaarige Frau an unserem Tisch eine original Schwatzbiene war. Sie beugte sich verschwörerisch zu uns und erzählte uns lang und breit von einer Autorin, die sie sehr gut kennt und deren neuestes Projekt sie jetzt journalistisch begleitet.

Diese Autorin hat nämlich wahnsinnige Geldprobleme und kennt sich überhaupt nicht mit Verträgen aus. Genauso wenig wie mit ihrem Projekt, und wenn die Rothaarige nicht überall so unglaublich gute Kontakte hätte und ihr deswegen so helfen würde, dann könnte man das ganze Projekt ja wohl komplett vergessen. Nele lächelte die ganze Zeit still vor sich hin, ich überlegte, ob das aus Bewunderung war oder ob sie an etwas ganz anderes dachte.

Die Erklärung bekam ich später. Die genannte Autorin ist eine Cousine von Nele, die sowohl ihre Finanzen als auch ihre Verträge vorbildlich im Griff und außerdem ihr Projekt schon vor zwei Monaten beendet hat. Tja, so sind sie, die Schwatzbienen, sie vergessen manchmal, wem sie was erzählen.

Die Schwatzbiene der letzten Woche war die Bekannte eines Kollegen, die zufällig zu uns stieß, als wir zusammen essen waren. Wir kamen auf das Thema Kurzurlaube, und sie ereiferte sich über ein Hotel an der Ostsee, das nur eine kleine Sauna, eine schlechte Lage und grässliches Personal hatte, aber dauernd in irgendwelchen Zeitschriften auftaucht. Ich fand das seltsam, weil ich am Wochenende zuvor genau dort zu einem wunderbaren Wellness-Wochenende war. Beim Versuch, ihr das zu sagen, wurde sie komisch. Ihr Mann, der kurz danach zu uns stieß, gehörte zur selben Spezies. Wir haben ihn Schnackfrosch genannt. Der hat nämlich meinem Kollegen hinter vorgehaltener Hand aufgeregt erläutert, dass eine große Autofirma das angekündigte Modell beinahe zurückgezogen hätte, weil es in den Testfahrten so schlecht abgeschnitten hat. Das hätte er aus sicherer Quelle erfahren. Also ihm könnte man diesen Wagen schenken, er würde den gar nicht haben wollen. So teuer und so schlecht.

Wir haben betroffen genickt, dann zogen die beiden ab. Mein Kollege hatte mich übrigens zum Essen eingeladen, weil er genau dieses Modell letzte Woche bekommen hat und sehr zufrieden damit ist. Das Problem der Schwatzbienen und Schnackfrösche sind vermutlich ihre geheimen Quellen. Die sind einfach nicht zuverlässig. Schade.

Mit Gruß an alle Informanten,
Ihre Dora Heldt

Urlaub ohne Männer

Meine Freundin Nele ist Single. Das habe ich an anderer Stelle bestimmt schon mal erwähnt. Und sie bekommt zweimal im Jahr deshalb eine Krise, immer in den Sommerferien und dann noch mal in der Weihnachtszeit.

Jetzt hat sie mir aber erzählt, dass die Ferienkrise ein für alle Mal überwunden ist. Sie war nämlich in diesem Jahr mit einer Kollegin, die auch wieder Single ist, im Urlaub. Es war eine ganz spontane Aktion, beide wollten in die Sonne, beide wollten Sport machen, beide ans Meer. Also haben sie es zusammen gebucht und es war laut Nele der schönste Urlaub der letzten Jahre.

Anfangs haben die beiden sich noch unglücklich gefühlt, weil um sie herum lauter glückliche Paare ihre Zweisamkeit lebten. Die Hand-in-Hand-Spaziergänger, die Männer, die ihren Frauen den Rücken eincremten, die Frauen, die ihren Männern Obstsalat vom Büfett holten, Nele und ihre Kollegin sahen überall rosa Herzen.

Und dann kam dieser wunderbare Sonnenuntergang am zweiten Abend. Sie saßen, natürlich unter lauter Paaren, in dieser schönen Strandbar, tranken Cocktails und heulten ein bisschen, weil sie keinen Partner neben sich hatten. Und dann sagte eine Frau hinter ihnen zu ihrem Mann, dass sie den Sonnenuntergang auf Mallorca viel schöner gefunden hätte, woraufhin er antwortete, dass sie da auch nicht ganz so schlecht gelaunt gewesen sei. Nach einem kurzen Streit verschwanden sie mit bösen Gesichtern.

Am nächsten Morgen stritt sich ein zweites Paar am Büfett, weil er zu viel aß, sie aber loswollte. Am Nebentisch wurde gar nicht mehr gesprochen, sondern nur noch aneinander vorbeigesehen und unlustig geschwiegen.

Nele und ihre Kollegin verbrachten einen gut gelaunten Tag am Strand und trafen beim Zurückkommen ins Hotel ein Paar, das sich gerade anbrüllte, weil sie sowieso niemals hierher gefahren wäre und er sich jetzt bloß nicht über das Wetter beschweren sollte.

Nele hat ein bisschen recherchiert, sie liebt ja Statistiken, und herausgefunden, dass 60 Prozent der Paare sich im Urlaub streiten, weil sie normalerweise nur durchschnittlich zehn Minuten am Tag reden und jetzt 24 Stunden den anderen an der Seite haben. Was die meisten anscheinend kaum aushalten. Zumal Frauen etwa 23 000 Wörter am Tag sagen, während den Männern locker 12 000 reichen. Da kommen Gespräche schon mal ins Stocken.

Nele und ihre Kollegin haben sich nicht ein einziges

Mal gestritten und kaum geschwiegen. Und deshalb hat Nele ihre Ferienkrise überwunden. Der Urlaub ohne Mann war in diesem Jahr so herrlich. Für die Weihnachtskrise haben sie sich jetzt weitere Orte der Paarkonflikte vorgenommen: Möbelhäuser, Tanzkurse, Spieleabende und Autofahrten. Wenn man da genau beobachtet, findet man das eigene Leben dann doch ganz schön.

Mit aufmunternden Grüßen an alle zerstrittenen Paare,
Ihre Dora Heldt

Hilfe, ein Selfie

Meine verstorbene Großmutter hatte einmal ein Klassenfoto von mir betrachtet. Ich war gerade in die sechste Klasse gekommen, hatte in der dritten Reihe gestanden und zur Seite gesehen. Im Gegensatz zu meiner Schulfreundin Jutta. Die stand nämlich in der ersten Reihe, hatte ihre Schulter nach vorn geschoben und direkt in die Kamera gelächelt. Meine Großmutter hatte mit dem Finger auf sie getippt und gesagt: »Die glaubt wohl auch, sie sei schön. Aus der wird mal eine Angeberin. Die muss aufpassen.« Angeber waren für meine Großmutter das Schlimmste. Man darf sich nicht so wichtig nehmen, war ihre Devise gewesen, das verderbe den Charakter.

Vor ein paar Tagen fiel mir dieses Gespräch wieder ein. Da habe ich nämlich ein Selfie von ebendieser Jutta bekommen. Wir haben kaum noch Kontakt, aber sie hat noch meine Handynummer. Und deshalb schickt sie immer Nachrichten, wenn sie etwas Tolles erlebt. Und leider nicht nur Nachrichten, sondern auch immer Selfies. Am Strand, auf dem Berg, vor einem Theater, in einem teuren Restaurant, auf einem Konzert, auf einem Boot, vor dem Eiffelturm, vor irgendeinem anderen Gebäude. Es spielt gar keine Rolle, was im Hintergrund ist, es kommt ja immer auf Jutta an. Und deren Gesicht ist wegen der Perspektive so groß, dass man ohnehin Mühe hat, den Ort des Selfies zu erkennen. Sie sieht dabei immer gleich aus. Das Kinn ist nach oben gerichtet, um kein Doppelkinn zu riskieren, die Augen halb geschlossen, sieht cooler aus, das Lächeln übertrieben, die Kopfhaltung seitlich.

Ja, Oma, sie denkt, sie sei schön. Weil sie nämlich denselben Gesichtsausdruck hat wie die meisten, die sich selbst fotografieren und das Bild in die Welt hinausschicken. Selbst meine Freundin Nele schwimmt auf dieser Welle. Früher hat sie vor jedem Fotoapparat die Flucht ergriffen, wollte nie auf Urlaubsbilder oder etwa beim Essen, Trinken, Sonnenbaden abgelichtet werden. Heute schraubt sie die Handystange an und legt los.

Ich frage mich, was das ist. Und überlege, was meine Großmutter dazu sagen würde. Nehmen sich alle plötzlich so wichtig, dass sie denken, der Eiffelturm mit ihnen im Vordergrund ist einfach viel schöner? Oder finden sie sich selbst so fotogen (Kinn hoch, Augen halb zu, Kopf zur Seite), dass sie glauben, der Adressat fällt vor Ehrfurcht sofort auf die Knie und schickt das Foto gleich weiter? Warum bitte muss ich mir jeden Strand, der angeblich der tollste der Welt sein soll, immer von Juttas

Kopf verdeckt ansehen? Und warum nehmen alle exakt die gleiche Haltung ein? Wie soll ich euch alle denn noch unterscheiden?

Mit vielen Fragen und beim Löschen der zugesandten Handyfotos
grüßt nachdenklich Ihre Dora Heldt

Gekonnt ahnungslos

Am Samstag habe ich Anna und Axel in einem großen Technikkaufhaus getroffen. Sie haben sich gefreut, und Axel hat erzählt, dass Technikkaufhäuser für ihn das Größte sind. Er findet es sehr wichtig, dass man immer auf dem Stand der neuesten Entwicklung ist. In unserem Alter müsste man aufpassen, dass man nicht von der Jugend abgehängt wird, er hätte überhaupt keine Lust, irgendwann den Gesprächen seiner Kinder, die sich anscheinend dann nur noch über technische Revolutionen, elektronische Erfindungen und spektakuläre Computertechnologien unterhalten würden, nicht mehr folgen zu können.

Deshalb würde er sich hier regelmäßig umsehen und sich nie den neuen Dingen verschließen. Ich konnte nicht so richtig mitreden, ich wollte nur Ersatzzahnbürsten kaufen, deshalb gab Axel mir nur einen mitleidigen Klaps auf den Arm und wandte sich wieder den Wunderwerken der Unterhaltungselektronik zu. Anna hat ihn nur seltsam angesehen und mich noch gefragt, ob sie mir am kommenden Sonntag die Kinder vorbeibringen könnte. Sie und Axel waren eingeladen und hatten noch keinen Babysitter. Natürlich habe ich sofort zugestimmt. Lena und Jakob sind sieben und fünf. Sie kamen gut gelaunt, die Arme voller Kuscheltiere und diverser Spielzeuge, verkündeten, dass sie mittags Fast Food essen wollten und zwei Trickfilme auf DVD dabeihätten, die sie mit mir zusammen gucken dürften. Ich war natürlich mit allem einverstanden und heilfroh, dass ich trotz meiner technischen Ignoranz ihren Gesprächen locker folgen konnte. Nach dem Essen schob ich die DVD in meinen Rekorder, schaltete ihn ein und musste noch mal zurückspulen, weil ich aus Versehen die Sprache Englisch angeklickt hatte. Während ich das tat, beobachtete Lena mich neugierig und fragte einen Moment später, ob ich gleich einen roten Kopf bekäme. Ich verstand die Frage nicht. Lena wiederholte sie freundlich. Ich fragte zurück, warum ich denn einen roten Kopf bekommen sollte, und stellte die richtige Sprache ein. Lena antwortete, dass ihr Papa immer einen roten Kopf bekäme, wenn er ihnen eine DVD einlegt.

Erst würde er mit der Fernbedienung herumfuchteln, dann würde er nervös, dann sauer, und dann würde er schreien. Erschrocken sah ich sie an und fragte vorsichtig, was Axel denn schreien würde. Jakob beantwortete genauso freundlich wie seine Schwester meine Frage: »Er schreit dann immer laut: ›Anna, komm sofort hierher, das Sch…ding ist schon wieder kaputt.‹« – »Und dann?« – »Dann kommt Mama und macht es richtig. Bei Papa kommen die Filme immer nur auf Englisch.« Ich habe zwar nur Ersatzzahnbürsten gekauft, aber dafür haben wir den Film auf Deutsch gesehen. Aber ich finde es toll, wenn Männer sich für Technik interessieren. Davon haben dann auch die Kinder etwas.

Mit herzlichen Grüßen an Axel,
Ihre Dora Heldt

Die Eitelkeit der Männer

Statistisch gesehen sollen Frauen ja eitler sein als Männer. Das kann ich inzwischen nicht mehr richtig glauben, dafür kenne ich zu viele Männer, die garantiert länger im Bad brauchen als ich und sich viel öfter über Frisur oder Kleidung streichen. Ganz abgesehen davon, dass sie sich in Schaufenstern betrachten, dabei den Bauch einziehen oder ihre Haltung straffen. Aber das sollen sie ruhig machen. Gleiches Recht für alle, finde ich, mir ist das ganz egal. Es ist ja auch angenehm, wenn der Liebste gut riecht und immer gut angezogen ist. Wunderbar ist das. Wenn sie dann noch aufhören würden, immer dieselben Sprüche über Frauen beim Schuhekaufen und beim Friseur zu machen, wäre alles gut.

Aber da müssen wir drüberstehen. Weil wir im Alter sowieso selbstbewusster als sie werden. Ich kenne viele ältere Frauen, die sich nicht mehr drum scheren, was die Mode diktiert, die zu ihren Figuren, ihren Falten und ihren Erfahrungen stehen. Da wird selbstbewusst mit der Speisekarte gewedelt und die Bluse aufgeknöpft, jeder kann ruhig sehen, dass sich gerade eine Hitzewelle ihren Weg gebahnt hat, das ist doch ganz normal. Wir stehen dazu.

Bei Männern hingegen verliert sich das Selbstbewusstsein im Alter. Ein Bekannter von mir ließ sich plötzlich die Haare wachsen. Nicht weil er sich jetzt an David Garrett orientierte, sondern weil er ein Hörgerät trug, was aber niemand wissen sollte. Dabei waren alle nur froh, dass man ihn nicht mehr anschreien musste. Und er endlich alles mitbekam. Aber er wollte nicht, dass man das Hörgerät sah, und hoffte wohl, dass wir an Spontanheilung glaubten.

Der charmante Schwiegervater meiner Freundin Rita hat ganz andere Tricks. Er war früher Zimmermann, kann nicht mehr so gut laufen und müsste eigentlich eine Gehhilfe benutzen. Das lehnt er ab, weil ja dann alle sehen würden, dass er nicht mehr gut laufen kann. Deshalb geht er immer mit einer Dachlatte spazieren. Damit kann er sich abstützen, und falls jemand fragt, will er sie eben jemandem bringen. Er ist davon überzeugt, dass niemand seine Gehschwäche mitbekommt. Rita wollte ihn neulich bei einem Arztbesuch einhaken, nachdem sie ihm die Benutzung der Dachlatte in der Stadt verboten hatte. Er ging auch ein paar Schritte eingehakt neben ihr, dann blieb er stehen und fragte, ob sie nicht lieber seine Hand nehmen könne. Sie hat ihn besorgt gefragt, ob alles in Ordnung sei und was denn gegen das Einhaken spräche. Er lächelte sie freundlich an und sagte, wenn sie Hand in Hand gingen, dann würden die Leute doch wenigstens denken, er habe eine junge Freundin. So. Man muss sich nur was einfallen lassen.

Mit herzlichen Grüßen und einem Wink mit der Dachlatte,
Ihre Dora Heldt

Geld oder Bratwurst?

Vor einiger Zeit hat mich auf dem Nachhauseweg spätabends eine verzweifelt aussehende Frau angesprochen. Ob ich wüsste, wo in der Nähe ein Pastor oder eine Polizeistation wäre, sie bräuchte dringend Hilfe. Ich fand die Kombination interessant, also habe ich gefragt, was sie denn für ein Problem hätte. Sie sagte mit tränenfeuchten Augen, dass man ihr das Portemonnaie gestohlen habe, sie müsse aber den letzten Zug bekommen, weil ihr Sohn allein zu Hause sei. Die Fahrkarte koste achtundzwanzig Euro, und der letzte Zug fahre in 20 Minuten, vielleicht könne ihr der Pastor oder die Polizei helfen. Oder ob ich ihr das Geld leihen könnte, sie würde es sofort morgen auf mein Konto überweisen.

Weil sie so weinte, der Bahnhof in der Nähe war, die Zeit drängte und ich ein großes Herz habe, ging alles ganz schnell. Mangels Kleingeld gab ich ihr einen Fünfzig-Euro-Schein, sie schrieb meine Kontonummer auf und verschwand in Richtung Bahnhof.

Später am Telefon habe ich es meinem Liebsten erzählt, noch immer gerührt von meiner Großherzigkeit, und mich über Kleinkriminelle ausgelassen, die verzweifelten Müttern das Portemonnaie aus der Tasche klauen.

Seine Reaktion war überraschend. Er hat gelacht und gesagt, dass er nicht gedacht hätte, dass ich so leicht zu betrügen sei. Er wette, dass ich weder das Geld zurückbekäme, noch die Dame sich eine Fahrkarte gekauft habe, noch ihr Sohn auf sie warte, falls es ihn überhaupt gebe. Stattdessen sei ich auf einen ganz plumpen Trick hereingefallen. Ich habe es natürlich verneint, ich hasse diese Kaltherzigkeit, denke dann an meine Mutter, die immer sagt, es darf niemand hungern, und schon mal dem einen oder anderen Bettler ein Brot geschmiert hat. Vielleicht waren die fünfzig Euro zu viel, aber die Frau hatte ja keinen Hunger. Ganz im Gegensatz zu dem Bettler, der neulich auf dem Wochenmarkt saß, flankiert von einem freundlichen Hund und einem Schild, auf dem »Wir haben Hunger« stand. Nach der letzten Erfahrung wollte ich ihm kein Geld geben, ging stattdessen zum benachbarten Wurststand und kaufte zwei Bratwürste. Als ich zurückging und sie ihm mit einem aufmunternden Lächeln überreichte, hob er nur abwehrend die Hand. »Och nö, Sie sind jetzt schon die Dritte, die mir ´ne Wurst bringt, ich mag die nicht.«

Da stand ich dann mit meinem aufmunternden Lächeln. Und zwei Würstchen in der Hand. Der Hund wollte sie auch nicht, ich habe dem Mann das Wechselgeld in die Hand gedrückt und schon wieder das Gefühl gehabt, es irgendwie nicht richtig gemacht zu haben.

Meine fünfzig Euro habe ich übrigens nicht wiederbekommen, mein Liebster hat sich aber mit fünfundzwanzig am Schaden beteiligt. Er hat ein großes Herz. Und ich kaufe jetzt Obdachlosenzeitungen.

Mit Kleingeld in der Tasche grüßt Ihre Dora Heldt

Frühe Vögel, späte Knuts

Neulich in einem Café: Am Nebentisch sitzt eine ältere Dame, die der Bedienung sagt, dass sie noch auf ihre Freundin warte. Erst nach einer Viertelstunde kommt ihre Bekannte, begrüßt sie überrascht und fragt, ob sie selbst zu spät käme. »Nein«, hat die Erste geantwortet. »Aber seit Knut tot ist, komme ich endlich nicht mehr überall zu spät. Der hatte ja immer was, mit dem kam ich nie rechtzeitig los.«

Sie sagte das mit einer gewissen Erleichterung, deshalb vermute ich, dass sie nicht wirklich traurig war. Wahrscheinlich gehörte Knut auch zu den Menschen, die keine Würmer mögen. Deshalb gehören sie auch nie zu den frühen Vögeln. Zu denen gehört aber zweifelsohne seine Ehefrau. Und das kann ich sehr gut nachvollziehen, ich bin auch so ein früher Vogel.

Wenn ich einen Termin habe, rechne ich genau aus, wann ich losfahren muss. Ich berechne die Fahrzeit (z.B. 20 Minuten), addiere die Möglichkeit eines Staus, der Parkplatzsuche oder einer Zugverspätung dazu (plus 20 Minuten) und bin dementsprechend vierzig Minuten vor dem Termin angezogen, geschminkt, gekämmt, mit Jacke, Tasche und Schlüssel an meiner Haustür.

Und an dieser Stelle kommen die Knuts. Denen fällt nämlich plötzlich ein, dass sie noch nicht rasiert sind, ein dringendes Telefonat noch zu erledigen ist, oder sie suchen irgendetwas. Egal was, Brillenetui, Mütze, Handschuhe, Unterlagen oder Taschentücher, irgendetwas, es muss nur Zeit kosten. Also steht der frühe Vogel schwitzend (wir sind ja schon komplett angezogen), unruhig (weil wir die Uhr im Blick haben) und langsam ärgerlich (weil wir alles so schön ausgerechnet und erledigt haben und nun trotzdem hetzen müssen) ewig lange an der Tür.

Endlich losgekommen fahren wir meistens in einen Stau oder finden keinen Parkplatz, also kommt man zu spät zu diesem Termin, was einen frühen Vogel fertigmacht und einen Knut überhaupt nicht stört. Dann ist der Wurm eben weg, egal, Knuts mögen keine Würmer. Ich schon, deshalb bin ich allein fast immer zu früh bei Verabredungen.

Es macht mir nichts aus, ich komme gern in aller Ruhe, spaziere lieber noch eine halbe Stunde um den Block, als mit offener Jacke und hochrotem Kopf irgendwo hineinzurennen. Wenn man ein Knut ist, rennt man noch nicht einmal, man kommt einfach zu spät. Weil alles andere wichtiger ist. Die anderen können doch ruhig warten. Heutzutage ist es noch viel einfacher geworden. Man kann jetzt einfach denjenigen, der bereits am Treffpunkt ausharrt, anrufen, um ihm mitzuteilen, dass man jetzt noch seine Brille sucht, aber in einer Viertelstunde losfährt.

Das fröhliche »Bis später« ist dann auch so gemeint. Also, liebe Knuts, ein bisschen mehr Disziplin bei der Planung, sonst findet ihr irgendwann überhaupt keine Würmer mehr.

Überpünktliche Grüße,
Ihre Dora Heldt

Es gibt keine zu großen Taschen …

Meine Kollegin Marietta musste neulich an der Rezeption einer Arztpraxis in die Knie gehen. Nicht aus Angst vor dem Arzt, aus Schwäche oder vor lauter Respekt, sondern aus einem anderen, wirklich völlig unnötigen Grund: Es gab an dieser Rezeption keine Ablagemöglichkeit für ihre große Handtasche, die aber unter anderem deshalb so groß ist, weil man Überweisungen, Brieftaschen und Sonstiges darin mit sich trägt. Wie aber soll man in einer Tasche nach einem Überweisungsformular suchen, die man nirgendwo anständig abstellen kann? Eben, gar nicht. Man stellt sie auf den Fußboden, bückt sich, was meistens unelegant aussieht, und fängt mit gebeugtem Kopf in alberner Haltung an, in dieser Tasche zu wühlen. Bis man sich nach gefühlten 20 Minuten wieder ächzend aufrichtet, um der entspannten Arzthelferin den Schein über den Tresen zu schieben.

Marietta findet das furchtbar. Ich habe ihr gesagt, dass die Möbeltischler, die solche Empfangsmöbel bauen, vermutlich überhaupt keine Ahnung haben, wie sich das Format von Handtaschen in den letzten Jahren entwickelt hat. Handtaschen in einer Größe, die man unproblematisch überall hinlegen kann, um sie auszuleeren, werden doch nur noch in der Oper oder auf Abibällen getragen. In unsere Taschen muss doch alles, was man tagsüber brauchen könnte, hineinpassen. Vielleicht haben die Frauen früher weniger gebraucht, aber das ist vorbei. Man muss sich doch auf Veränderungen einlassen.

Das gilt, nebenbei bemerkt, nicht nur für die Möbeltischler, sondern auch für die Erbauer von Parkhäusern. Die Autos werden immer breiter, die Autobahnen überall vierspurig, nur die Parkhauserbauer ignorieren das und malen ihre Trennlinien wie früher. Und wenn man so einen Parkplatz endlich gefunden hat und auch noch gerade steht, gehen die Türen nicht mehr auf. Da sitzt man dann mit der großen Tasche auf dem Schoß und ärgert sich.

Vielleicht sollte man einfach mal genau hingucken. Wir brauchen in Praxen, Banken und Ämtern an den Rezeptionen breite Regale, die das Gewicht einer großen Tasche aushalten, es ist leichter, aus einem Auto zu kommen, bei dem die Türen aufgehen, und es ist keine Option, über die Größe von Handtaschen nachzudenken. Die großen Modelle sind durchgesetzt.

Ich könnte Marietta aber vorschlagen, sich einen Rucksack umzuschnallen, in dessen Außentasche das Überweisungsformular steckt. Dann braucht sie sich nur noch mit dem Rücken zur Rezeption zu stellen, mit einer kleinen Geste auf den Reißverschluss zu deuten und der Arzthelferin zu sagen, dass sie sich das Formular selbst rausnehmen soll. Ganz ohne Bücken. Nur mit etwas Vorbeugen. So lange, bis endlich eine praktische Ablage vor den Tresen genagelt ist. Das kann doch nicht so schwer sein.

Mit Grüßen auch von Marietta,
Ihre Dora Heldt

Der gestresste Mann

Eine der wichtigsten Eigenschaften, die ein Mann haben muss, ist Humor. Das ist allgemein bekannt, ich weiß, und ich spüre auch Ihre Ermüdung bei diesem Kolumnenanfang. Alle Frauen wollen humorvolle Männer, das ist statistisch bewiesen, in Umfragen bestätigt und auch von meiner Freundin Nele seit Jahren auf ihrem Weg zum Mann ihres Lebens ständig gefordert.

Jetzt habe ich kürzlich aber einen Artikel gelesen, der mich begeistert, aber auch in meinen Vorstellungen, wie ein Mann zu sein hat, verunsichert. Aus Großbritannien kommt nämlich eine Vereinigung von Langweilern, offiziell nennen sie sich »DMC«, was für »Dull Men's Club« steht und lauter Männer versammelt, die langweilig sein wollen. Sie haben keine Lust mehr, sich durch Fitnesscenter, über Tennisplätze und Skipisten zu quälen, ihnen sind schnelle Autos nicht mehr wichtig, sie wollen keine Motorräder oder Rennboote besitzen, sie verzichten aufs tägliche Joggen, gucken kein Boxen und wollen keine Abenteuergeschichten mehr erzählen, um irgendjemandem zu imponieren.

Stattdessen frönen sie Hobbys wie Milchflaschen- oder Verkehrsschilder-Sammeln, fotografieren Briefkästen, haben eine App, mit der man auf graue Fliesen starren kann, oder suchen besondere Ziegelsteine. Nicht mehr und nichts Spektakuläres. Zwei von den Clubmitgliedern waren abgebildet, zwei völlig normale, etwas übergewichtige, freundlich aussehende Männer. Nicht besonders schön, nicht besonders sexy, aber mit einem zufriedenen Gesichtsausdruck und einigen Lachfältchen um die Augen.

Ich habe sofort Nele den Artikel gezeigt und ihr gesagt, dass sie bei der Suche nach einem Mann fürs Leben auf der völlig falschen Fährte ist. Dass Waschbrettbäuche, tolle Jobs und große Autos völlig überschätzt sind, das wissen wir in unserem Alter sowieso schon. Und dass ein Mann nicht unbedingt Humor hat, nur weil er zufällig an der richtigen Stelle eines Filmes laut gelacht hat, lustige Sprüche macht und einen komischen Aufdruck auf seinem T-Shirt durch die Gegend trägt, darüber sollte man sich klar werden.

Aber dass ein Mann beschließt, sich nicht mehr anzustrengen, größer, schneller und aufregender als alle anderen zu sein, und stattdessen anfängt, Briefkästen zu fotografieren oder Verkehrsschilder zu sammeln, das finde ich toll. Er braucht nicht mehr die richtigen Hobbys, die richtigen Autos, die richtigen Klamotten. Er macht einfach irgendwas anderes, Hauptsache unspektakulär.

Ich bin mir sicher, dass es mit solchen Männern sehr lustig sein kann. Sie haben alle Zeit der Welt und keinen Trend mehr nötig. Dazu gehört Humor. Da bin ich mir sicher.

Mit einem plötzlich anderen Blick auf Männer grüßt
Ihre Dora Heldt

Sei nett zu Frauen!

Mein Liebster hatte gestern Abend schlechte Laune. Er hat mir verärgert mitgeteilt, dass er es langsam satthätte, ständig darauf zu achten, sich als Mann gut zu benehmen. Seine Mutter und alle Frauen seiner Umgebung haben ihm das sein Leben lang erklärt und von ihm erwartet. Darum ist er auch bemüht und macht es jeden Tag. Aber nun muss er mal sagen dürfen, dass es ihm nicht leicht gemacht wird und dass heute wieder ein Tag sei, an dem er eine unbändige Lust verspüre, sich endlich mal wie der letzte Macho zu benehmen.

Es ging schon am Morgen los. Er ist im Bus aufgestanden, um einer Frau seinen Platz anzubieten. Sie hat ihn böse angefunkelt und gesagt, dass sie weder schwanger, krank noch alt sei und ob er sie anmachen wolle. Da ihm keine frauenfreundliche Antwort einfiel, blieben beide stumm und beleidigt bis zur nächsten Haltestelle stehen, wo sich ein etwa zehnjähriger Junge auf den Platz setzte.

Später auf dem Markt konnte sich mein Liebster am Fischstand nicht entscheiden. Statt einer guten Beratung erntete er nur gerührte Blicke und den Rat, doch lieber seine Frau anzurufen. Er wollte nicht sagen, dass er besser kocht als ich, gerade wenn es um Fisch geht. Weil ich mich albern anstelle und rohen Fisch nicht anfassen mag, was bedeutet, dass ich ihn nicht zubereiten kann. Aber das kann er ja an einem Marktstand nicht sagen, wenn auch noch zwei Frauen vor und vier hinter ihm stehen. Dann ist er ja gleich unten durch.

Aber das Allerschlimmste ist ihm danach in einer Buchhandlung passiert. Es ist ein großer Laden, es gibt jede Menge Mitarbeiter und eine Buchhändlerin, von der er sich am liebsten beraten lässt. Sie kennt seinen Namen, weiß, welche Bücher er gern liest, findet immer das Richtige und freut sich, wenn er vorbeischaut. Aber mein Liebster vergisst jedes Mal ihren Namen, was ihm sehr unangenehm ist. Ich habe ihm gesagt, dass doch in diesem Laden alle Mitarbeiter Namensschilder tragen und er ja wohl lesen könne. Da hatte ich was gesagt. Mein Liebster blaffte sofort los. Ob ich denn mal darauf geachtet hätte, wo diese Schilder angebracht wären. Sie sind so blöd befestigt, dass man Frauen auf den Busen starren müsste. Und wenn der Name auch noch ein Doppelname ist und die Brille im Auto liegt, dann müsste man ewig und mit zusammengekniffenen Augen starren. Das hat er nämlich gemacht. Und die nette Buchhändlerin hat ihn irritiert gefragt, ob er jetzt etwas wissen wolle oder nur gucken möchte. Es war ihm sehr peinlich, und jetzt ist er verärgert. Weil sie bestimmt denkt, dass er doch ein Macho ist, und er nichts mehr zu lesen hat.

Also, an alle Frauen, die Namensschilder tragen: Vielleicht kann man sie ein bisschen höher in Richtung Schulter rücken.

Mit verständnisvollen Grüßen,
Ihre Dora Heldt

So schmeckt Kindheit

Meine Freundin Nele hat am Wochenende fünf verschiedene Senfsoßen gekocht, ich musste alle probieren. Ich fand jede gelungen, nur Nele war unzufrieden. Weil sie alle anders schmeckten als die ihrer Großmutter. Aber deren Rezept ist verschollen. Und trotz vieler Kochbücher und Vorschlägen aus Zeitschriften ist die richtige Rezeptur bislang nicht dabei gewesen. Das ist ärgerlich. Sogar irgendwie traurig. Weil es doch nichts Tröstlicheres gibt als Dinge, die nach Kindheit schmecken.

Anna kocht zum Beispiel immer Rotkohl, wenn sie schlechte Laune hat, und zwar genau nach dem Rezept ihrer Mutter. Die hat ihre Schätze nämlich wohlweislich aufgeschrieben. Auch den berühmten Kartoffelsalat ihrer Oma. Das nützt aber nur Anna etwas, weil ihr Familienkartoffelsalat ganz anders schmeckt als unserer. Ihrer schmeckt falsch, denn da sind keine Gurken drin. Die sind bei uns zwingend. Ohne Gurken schmeckt er fremd. Wenn meine Schwester, meine Cousinen und ich einen gemeinsamen Bekannten hätten, der reihum bei uns zur Suppe eingeladen würde, bekäme er bei jeder exakt dasselbe. Rindfleischknochen, Suppengrün, Hackfleischklöße, Grieß, Reis und geheime Gewürze sind die Zutaten für frische Suppe, und die wird seit Generationen gleich gekocht. Das gilt auch für Zitronenspeise, Kohlrouladen, Frikadellen und Käsekuchen. Wir nehmen Omas alte Zettel, die wir dauernd kopieren, und machen keine Experimente. Es muss so schmecken wie früher, ansonsten kochen wir was anderes. Thai-Curry, Sushi oder Spaghetti alle Vongole gab es in unserer Kindheit nicht, deshalb kann man geschmacklich auch nicht enttäuscht werden. Das ist bei Gerichten wie Milchreis mit Backobst oder Eiern in Senfsoße etwas ganz anderes.

Darum kann ich Neles Verzweiflung wegen ihrer verschollenen Senfsoße gut verstehen. Auch wenn sie dicht rankommt, ist es nicht dasselbe. Die Frauen meiner Familie haben die Wichtigkeit dieser Traditionen früh erkannt, deshalb sind die meisten Rezepte rechtzeitig in die nächste Generation gewechselt. Die meisten, wie gesagt, bis auf ein einziges. Meine Großmutter väterlicherseits machte zu besonderen Anlässen einen Traum, der sich schlicht »Eierpuff« nannte. Es war eine Art Soufflé, irgendetwas zwischen Pfannkuchen und Salzburger Nockerln. Dazu gab es eingemachte Blaubeeren, es war gelöffeltes Glück. Und ausgerechnet dieses Rezept hat sie nie aufgeschrieben. Trotz vieler Versuche hat es noch niemand von uns annährend hinbekommen. Wahrscheinlich essen es jetzt die Engel zu besonderen Anlässen, es sei ihnen gegönnt. Trotzdem ist es schade, dass es nirgendwo auch nur eine klitzekleine Notiz dazu gibt. Es machte das Herz so warm.

In Erinnerung schwelgend grüßt
Ihre Dora Heldt

Hommage an einen Mantel

Nach einem Blick aus dem Fenster ist mir gestern schon wieder eine Sache eingefallen, die es nicht mehr gibt. Das ist mir schon öfter passiert, vermutlich ist es eine Sache des Alters: Plötzlich fallen einem Dinge ein, die man schon fast vergessen hat. Nicht alles ist tatsächlich ein Verlust – ich vermisse keine umhäkelten Taschentücher als Geburtstagsgeschenk, auch das Fehlen von Trimmdich-Pfaden, Wäscheschleudern, Milch in Plastikschläuchen, Schulterpolstern, Bonanza-Fahrrädern oder Musikkassetten mit anschließendem Bandsalat haben in meinem Leben keine richtigen Lücken gerissen.

Da gibt es ganz andere Gegenstände, um die es mir mehr leidtut. Fernsehansagerinnen zum Beispiel, die hatte ich richtig gern. Ich mochte auch Telefonzellen, die »Hitparade« mit Dieter Thomas Heck oder meinen alten Papierführerschein.

Aber all das ist mit der Zeit langsam und fast unmerklich aus meinem Alltag verschwunden. Nur ab und zu tauchen Dinge wieder im Rahmen des Nostalgie-Marketings auf. Brausepulver gibt es wieder oder Fernsehformate wie »Dalli Dalli«. Das ist doch was. Zudem gehörte das gute alte Autoquartett in seiner reanimierten Form zu den großen Gewinnern der diesjährigen Spielemesse. Das fand ich schön. Aber was mir gestern beim Blick aus dem Fenster eingefallen ist, das ist etwas ganz anderes.

Ein Kleidungsstück, auf dem eine große Hoffnung lag. Eins meiner Lieblingskleidungsstücke. Der Übergangsmantel. Er ist vergessen. Oder besitzen Sie noch einen? Ich nicht. Das habe ich ganz erschrocken festgestellt. Noch vor ein paar Jahren habe ich mir um diese Zeit einen solchen gekauft. Ein Übergangsmantel war das Kleidungsstück mit den meisten Versprechungen. Der Winter war fast vorbei, die dicken Jacken wurden langsam zu warm, der nahende Frühling war zwar noch nicht da, aber er kam mit langen Schritten.

Und in dieser Zwischenzeit, in der man genau wusste, dass bald alles schöner, grüner und wärmer würde, in dieser Zeit trug man vorfreudig den Übergangsmantel. Ob es nun daran liegt, dass der Winter so plötzlich zu Ende geht, wie der Frühling anfängt, ob es den warmen Wohnungen und Autos geschuldet ist oder ob es daran liegt, dass man das ganze Jahr nur noch Lagen-Look trägt – eins der schönsten Kleidungsstücke ist völlig zu Unrecht fast in Vergessenheit geraten. Und das kann und will ich nicht zulassen. Also erinnere ich an dieser Stelle ohne Verklärung, aber mit großer Sehnsucht an den Übergangsmantel. Damit wir uns jetzt so richtig auf den Frühling freuen können.

Auf dem Weg zu den leichten Mänteln grüßt übergangsmäßig
Ihre Dora Heldt

So was von wichtig

Meine Freundin Nele hatte neulich Besuch von einer alten Schulfreundin. Sie haben lange nichts voneinander gehört, erst auf dem Abiturtreffen kam es zu einem Wiedersehen, was beide so begeistert hat, dass sie sofort ein weiteres Treffen vereinbart haben.

Die Schulfreundin ist Managerin, hat Nele mir beeindruckt erzählt, dabei war sie damals nicht die Allerhellste in der Klasse, zudem noch sehr still und schüchtern. Nele hätte nie gedacht, dass diese kleine Maus so eine Karriere macht.

Als ich am Abend zu Nele kam, saß die Maus im dunkelblauen Business-Anzug auf Neles Sofa und musterte mich kritisch, aber nicht unfreundlich. Sie stand sofort auf, um mich mit festem Händedruck zu begrüßen und zu sagen, dass sie dieses Get-together ganz großartig fände. Sie wäre aber im Moment auch so im Flow, dass ihr dauernd schöne Dinge passierten. Ich nickte erstmal zustimmend, beantwortete die Frage nach meinem Beruf aber anscheinend so langweilig, dass ihre Antwort »Anyway« einen Themenwechsel einleitete. Nele kam mit Getränken, und die Maus fragte sie nach ihrer Work-Life-Balance. Nele antwortete, dass die ganz normal wäre, mal würde sie arbeiten, mal hätte sie Freizeit, das würde sich relativ unspektakulär abwechseln. Daraufhin nickte die Maus heftig und erzählte uns, dass sie selbst total proaktiv wäre und nie in die Situation käme, keine To-dos mehr zu haben. Die Prios seien natürlich sehr unterschiedlich, aber was für sie ein absolutes No-go wäre, obwohl sie wirklich total busy sei, das sei der Verzicht auf ihre Workout-Stunden im Fitnessclub. Das wäre ihr Must-have, ohne diese Zeiten könnte sie ihren Job gar nicht bewältigen. Und wenn sie sich etwas richtig Gutes tun will, dann fährt sie zum Yoga-Workshop ans Meer, da kommt sie dann immer ganz clean zurück.

Nele schloss ihren Mund und nickte verständnisvoll. Die Maus lächelte uns an. Ich wollte gerade etwas Kluges sagen, als ein Handy in ihrer Hosentasche vibrierte. Mit einem Griff hatte die Maus es aus der Tasche gezogen, teilte uns mit, dass sie einen Call hätte, und ging mit einem entschuldigenden Lächeln aus dem Zimmer. Wir hörten sie nur laut sagen: »Ja, ich habe einen Day off«, danach zog sie die Tür hinter sich zu.

Nele sah mich lange an. Dann meinte sie, ihre Schulfreundin hätte extra gesagt, dass sie so viel zu reporten hätte, aber leider würde man ja nur die Hälfte verstehen. Was genau wollte sie denn jetzt damit sagen? Ich erklärte ihr freundlich, dass es sich hier um eine wichtige

Maus handelt, die in einer wichtigen Firma arbeitet, heute blaumacht und regelmäßig zum Turnen geht. Und ihren Urlaub am Strand verbringt. Und so was von im Flow ist, dass es fast schwindelig macht. Anyway, wir müssen nur besser zuhören.

Mit Grüßen an die Wichtigen,
Ihre Dora Heldt

Entscheidet euch doch mal!

Letzten Samstag im Supermarkt. Der Laden war voll, ich hatte noch eine ganze Menge anderer Dinge zu erledigen und stand an der Käsetheke. Vor mir war zufällig meine Freundin Anna, die sich in aller Ruhe die Käsesorten erklären ließ, nach Herkunft, Fettgehalt und Geschmack fragte und lediglich die Namen der Kühe ausließ. Nach einer gefühlten halben Stunde kaufte sie vier Scheiben alten Gouda. Anna drückte auch alle Tomaten, blätterte in allen Zeitschriften und besah sich jeden Joghurtdeckel. An der Kasse ließ sie ihren Wagen einen Moment allein stehen und tauschte mehrere Dinge wieder um. Wir mussten auf sie warten, auch weil sie erst nach Nennung der Summe begann, in ihrer überdimensionalen Tasche ihr Portemonnaie zu suchen. Es dauerte sehr lange. Annas Mann Axel ist der Meinung, dass die meisten Frauen unentschlossen sind. Männer gehen in ein Restaurant, werfen einen Blick in die Speisekarte und bestellen. Frauen lesen sich alles durch, überlegen, welche Beilagen sie noch ändern können, entscheiden sich für die Nummer 62, lassen erst die anderen bestellen und wollen dann plötzlich die Nummer 28. Um mit ihrem Mann, der die 62 bestellt hat, anschließend zu tauschen. So macht Anna das meistens. Sagt Axel.

Anna wäre auch nicht in der Lage, in einen Laden zu gehen, nach einer weißen Bluse zu fragen und die dann zügig zu kaufen. Sie probiert stattdessen alle weißen Blusen an und kauft nach einer Stunde eine rote. Er versteht es nicht. Er bräuchte für den Kauf eines weißen Hemdes genau zehn Minuten. Mit Anprobieren.

Obwohl ich mit Anna befreundet bin, gebe ich ihm insgeheim recht. Ich habe sie einmal begleitet, um Bettwäsche zu kaufen. Obwohl ihr im ersten Laden schon etwas gefiel, mussten wir noch in drei andere gehen, damit sie sich ganz sicher wurde. Sie hat nach zwei Stunden die aus dem ersten Laden gekauft. Anschließend standen wir eine halbe Stunde vor der Kuchentheke einer Bäckerei, weil Anna sich nicht hundertprozentig sicher war, welchen Kuchen sie denn nun gerne hätte. Die Schlange hinter uns passte kaum noch ins Geschäft, also entschied ich für uns beide, woraufhin sie protestierte und für sich Pflaumenkuchen bestellte. Ganz bestimmt. Als wir endlich am Tisch saßen und ich mit ihr in aller Ruhe über ihre Entscheidungsschwäche sprechen wollte, erzählte sie mir, dass sie sich so über Axel amüsieren könnte. Seit drei Monaten will er sich ein neues Fahrrad kaufen, liest ständig Testergebnisse, guckt sich in Fahrradläden um, kommt aber nicht weiter.

Typisch Mann, hat sie gesagt, anstatt einfach ein Fahrrad zu kaufen, macht er eine Wissenschaft daraus. Ich wies sie verblüfft auf ihre gerade erlebte Umständlichkeit hin, aber sie hat nur gelacht und erklärt, sie kaufe lediglich entspannt und in Ruhe ein, wogegen Axel einfach entscheidungsschwach wäre.

Was sollte ich dazu sagen? Vielleicht nur eine Bitte: Wenn wir uns demnächst an der Supermarktkasse treffen, würde ich mich freuen, wenn die Suche nach dem Portemonnaie nicht ganz so spät beginnen könnte.

Mit Dank und viel Entscheidungsstärke grüßt
Ihre Dora Heldt

Neue Tasche, neues Leben?

Nele brauchte eine neue Handtasche. Mal wieder. Und sie hat mich gefragt, ob ich Lust hätte, mit ihr in diesen sensationellen neuen Taschenladen zu gehen. Das habe ich natürlich gemacht. Im wirklich sensationellen neuen Laden hat Nele sehr exakt beschrieben, was sie denn genau sucht. Eine schwarze Tasche, groß genug für DIN-A4-Ordner, mit langem Riemen, mindestens vier Innentaschen, weiches Leder. Die Verkäuferin brachte ihr genau dieses Modell, Nele betrachtete es flüchtig und zuckte mit den Schultern. Sie müsse sich doch selbst umsehen, hat sie gesagt und diese in meinen Augen perfekte Tasche achtlos zur Seite gestellt. Und dann fing sie an zu suchen, ich saß derweil auf einem Stuhl und sah ihr zu. Für nicht Eingeweihte ist die Beobachtung von Frauen beim Taschenkauf nicht nachvollziehbar. Jede Tasche wird geöffnet, durchwühlt, jeder Reißverschluss wird aufgezogen, dann schiebt man sich den Riemen über die Schulter, mustert sich im Spiegel, hängt die Tasche wieder weg, nimmt die nächste. Zwischendurch habe ich Nele gefragt, ob sie eine bestimmte

Vorstellung hat. Nele guckte nur sehr konzentriert, probierte gerade eine grüne aus Wildleder, in der sie mit einer Hand im Innenleben herumstrich und dann zufrieden nickte. Es passte zwar kein DIN-A4-Ordner rein, aber es fühlte sich toll an. Die Entscheidung war gefallen. Es geht nämlich ums Gefühl.

Eine neue Handtasche verändert das Leben. Man räumt die alte Handtasche aus und sortiert alles sehr ordentlich in die neue, und schon glaubt man, dass das Leben jetzt aufgeräumter und schöner wird. Und zwar sofort. Auch wenn Nele nach zwei Tagen gemerkt hat, dass ihre neue grüne Begleiterin keinen Platz für DIN-A4-Ordner hat, und Nele nicht riskiert, das schöne Wildleder mit einer Wasserflasche zu ruinieren, die ja tropfen könnte. Aber darum geht es gar nicht. Jetzt nimmt sie die Flasche und die Ordner immer unter den Arm. Demnächst will sie noch mal in den Laden, aber im Moment ist sie ganz glücklich. Die perfekte schwarze Handtasche kann sie sich sowieso nicht mehr kaufen, die habe ich mitgenommen. Eigentlich habe ich zwei große schwarze Taschen, aber vier Innenfächer, perfekte Aufteilung, Platz für alles, was ich so brauche, das fühlte sich so gut an. Meine alten Taschen sind ganz anders eingeteilt. Mit dieser Tasche bin ich völlig unabhängig, richtig ausgerüstet, perfekt organisiert, kurz, ein ganz neues Lebensgefühl. Mal gucken, wie lange das anhält. Wenn es nachlässt, werde ich vielleicht mal nach einer roten Tasche suchen. Ich glaube, dass rote Taschen gute Laune machen. Übrigens habe ich neulich gelesen, dass eine Frau im Schnitt zwölf Handtaschen besitzt. Das glaube ich sofort, weil man doch nicht genug sein Leben aufräumen kann.

Mit der Hand am weichen Leder grüßt
Ihre Dora Heldt

Nicht der Rede wert

Neulich war ich auf einem Seminar. Gleich am Eingang kam mir eine Kollegin entgegen, die einen sagenhaften Hosenanzug trug, der ihr auch noch ausnehmend gut stand. Als ich ihr das sagte, winkte sie kurz ab und meinte: »Du, das ist ein uralter Anzug, die Hose ist zwar etwas eng geworden, aber für hier reicht es.« Zehn Minuten später kam eine andere Kollegin. Sie hatte einen neuen Haarschnitt, exakt geschnitten, tolle Farbe, viel Glanz. Mein Kompliment dazu kommentierte sie mit dem Satz: »Ach ja, die sind vielleicht ein bisschen kurz geworden. Und die Farbe wäscht sich raus.« Ich habe mir jeden Kommentar verkniffen.

Erst als später eine junge Frau für ihre Zusammenstellung diverser Statistiken gelobt wurde und das mit der Antwort: »Das war nicht weiter wild, mit dem richtigen Programm hat man die Aufstellung ganz schnell. Kann jeder«, parierte, wurde ich nachdenklich. Warum können so wenige Frauen Lob und Komplimente aushalten?

Laut einer britischen Studie denken 35 Prozent der Frauen mindestens zehnmal am Tag negativ über ihr

Aussehen. Jede fünfte Frau geht nie ungeschminkt aus dem Haus und jede dritte redet nicht gern vor mehr als fünf Menschen. Das ist doch nicht zu fassen.

Auf demselben Seminar habe ich einen Kollegen getroffen. Der hat sich die Haare wachsen lassen und sieht jetzt ein bisschen aus wie ein grauhaariges Mitglied einer Boygroup. Außerdem hat er sein sonst immer dunkles Jackett durch eine cremefarbene Lederjacke ersetzt, zu der er bunte Halstücher trägt. Die erstaunten Blicke hat er sofort registriert und lächelnd erwähnt, dass seine neue Freundin den neuen Stil sensationell findet. Und dass ihm längere Haare einfach stehen. Und Lederjacken sowieso. Diese hier wäre übrigens von der Firma xyz, hat 600 Euro gekostet, das würde man auch merken, einfach tolles Leder. Was mich daran erinnerte, dass meine Freundin Anna neulich nach einem Kompliment für ihre neuen Schuhe erklärt hat, dass sie ein Superschnäppchen in einem Schuhgeschäft mit Wasserschaden gewesen sind. »Nur dreißig Euro«, hat sie gesagt. »Dafür musste ich sie einfach mitnehmen.«

Zurück zu meinem Boygroup-Kollegen: Er hat sich sofort bereit erklärt, die Ergebnisse des Seminars für alle zusammenzufassen. Seine Begründung hat mir am besten gefallen. Er hat gesagt: »Weil ich es kann.« Und jetzt habe ich mir vorgenommen, diesen Satz zu unserem neuen Motto zu machen. Wenn uns in Zukunft irgendjemand ein Kompliment macht, egal ob es um unsere neue Bluse, um eine neue Frisur oder eine großartige Leistung geht, wir werden selbstbewusst den Kopf heben und uns bedanken. Fertig, aus. Keine Erklärungen, kein Tiefstapeln, kein »Nicht der Rede wert«. Wir können es.

Mit überzeugten Grüßen,
Ihre Dora Heldt

Andere verpetzen? Ich doch nicht!

Als Kind konnte ich Petzen nicht leiden. Es gehört sich nicht, andere zu verpfeifen, und die, die das doch machen, finden sich zu Recht am Ende der Beliebtheitsskala wieder. Es sind furchtbare Menschen, die andere beobachten und sofort Meldung machen müssen, wenn jemand eine kleine Verfehlung begeht. So dachte ich immer. Aber je älter ich werde, desto öfter wächst in mir das dringende Bedürfnis, das Fehlverhalten unsympathischer Mitmenschen weiterzugeben. Das klingt nicht nett, ich weiß, aber die Gedanken kommen von selbst. Natürlich verpetze ich niemanden, ich will ja nicht ans Ende der Beliebtheitsskala, und ich lasse mir auch nichts anmerken, aber der Drang ist da. Letzten Sonntag zum Beispiel saß ich mit Nele nach einem Saunagang im Bademantel draußen auf einer Bank, um mich zu entspannen. Wir gehen regelmäßig in diese Sauna, auch weil dort immer eine herrliche Ruhe herrscht. Es gibt nämlich unter anderem ein Handyverbot. Das erkennt man an den Schildern, die überall hängen. Ein gemaltes Handy, das durchgestrichen ist, eigentlich nicht schwer zu verstehen.

Jetzt saßen Nele und ich also entspannt auf der Bank, bis wir von einer lauten Stimme gestört wurden. Einer nervigen Stimme, telefonierend. Da stand er. Vor dem Ruheraum. Ein Mann ohne Haare, im beigen Bademantel, mit Kopfhörern und Freisprechanlage. Ich dachte, ich spinne. Kopfhörer. In der Sauna. Trotz Handyverbot. Während Nele nur den Kopf schüttelte, wurde ich schon sauer und flüsterte: »Hoffentlich kommt gleich eine Saunaaufsicht.« Nele ließ die Augen geschlossen und sagte nur: »Der Spinner.« Und da hatte ich ihn wieder, den Drang, diesen Mann im beigen Bademantel zu verpetzen. Ich rutschte also unruhig hin und her, hoffte so sehr auf eine Aufsicht und ließ Nele nichts von meinen niederen Gedanken spüren. Jetzt ging er auch noch telefonierend in den linken Ruheraum, ich musste mich zur Ruhe zwingen und sah dann mit großer Genugtuung eine sehr strenge Mitarbeiterin auf die Ruheräume zugehen. Aber sie ging in den rechten Raum, sie war falsch, sie würde den Mann nicht entdecken. Als Nele mein Wimmern hörte, setzte sie sich gerade hin. Sie sah mich kurz an, dann schaute sie nach vorn und sagte laut: »Kasperle, Kasperle, das Krokodil ist rechts.«

Natürlich habe ich auch gelacht, obwohl der Mann nicht entdeckt wurde. Ein bisschen hat mich beruhigt, dass eine Stunde später dieselbe Mitarbeiterin ein anderes Krokodil beim Telefonieren erwischt hat. Der flog wenigstens raus. Nele hat mich gefragt, ob ich der Saunaaufsicht etwas gesagt hätte, ich habe entrüstet verneint. Petzen, ich bitte Sie, das ist ja wohl das Letzte.

Weiterhin aufmerksame Grüße,
Ihre Dora Heldt

Bitte recht freundlich

Meine Freundin Anna legt viel Wert darauf, dass ihre Kinder grüßen. Das klingt jetzt nicht besonders originell, aber ich finde das absolut großartig. Weil dann, wenn Lena und Jacob erwachsen sind, die Welt vielleicht ein bisschen freundlicher wird. Laut Knigge ist die Begrüßung nämlich der erste Beweis für die Fähigkeit, sich mit Leichtigkeit auf dem gesellschaftlichen Parkett zu bewegen.

Das hört sich jetzt etwas übertrieben an, aber es ist was dran, dass eine Begrüßung verrät, wie Menschen sich einschätzen. Wenn man einen Raum betritt und, wie Knigge vorschreibt, den Anwesenden freundlich und mit einem Lächeln kurz zunickt, dann wird die Atmosphäre doch gleich aufgeschlossener. Weil alle sich gesehen fühlen.

Die Amerikaner sind da vorbildlich. Manche USA-Reisende halten es vielleicht für übertrieben, wenn der Parkplatzwächter, die Supermarktkassiererin oder der Taxifahrer sofort fragt, wie es einem geht, wo man herkommt und ob man einen schönen Tag hat. Im Gegensatz zu uns unterkühlten und auch manchmal mit schlechtem Benehmen versehenen Europäern.

Ich weiß nicht, wie ein Bankangestellter hier reagieren würde, falls man ihn lächelnd fragt, wie sein Tag so ist. Er würde vermutlich über unsere Schulter starren und einen geplanten Überfall befürchten. Aber es gibt ja auch etwas dazwischen. Es reicht doch schon, beim Betreten der Bäckerei, der kleinen Boutique oder einer Sauna ein fröhliches »Schönen guten Morgen« zu sagen. Manchmal erntet man tatsächlich ungläubige Blicke, weil die Angesprochenen denken, man hat zu dieser Uhrzeit schon irgendetwas Stimmungsaufhellendes eingenommen, aber ab und zu grüßt auch jemand zurück. Und lächelt.

Neulich im Bus stieg ein kleiner Junge vorne aus und sagte zum Busfahrer: »Vielen Dank fürs Fahren und viel Spaß noch.« Die anderen Mitfahrer haben gelacht, bis auf eine Frau, die nur murmelte: »Bei den Fahrpreisen muss er sich nicht bedanken.« Wenigstens bekam die Spaßbremse böse Blicke.

Auch der gut erzogene Sohn meiner Freundin Anna macht Leute fröhlich. Nach dem Besuch eines Lokals, den Jacob zum Teil am Tresen sitzend, mit Apfelsaftschorle vor sich und dem Beobachten des Barkeepers verbracht hatte, gab er dem Mann beim Gehen die Hand, zwei Euro Trinkgeld und sagte: »Vielen Dank für den schönen Abend.« Der Barkeeper schmolz vor

Freude. Sehen Sie, deshalb glaube ich, dass Kinder, die grüßen und sich bedanken sollen, das Leben freundlicher machen.

Und wir sollten das auch tun. Es kostet doch nichts, beim Eintreten etwas Nettes zu sagen und einmal in die Runde zu lächeln. Und wenn tatsächlich ein Stinkstiefel nicht reagiert, hat man sich eben mal vergrüßt.

In diesem Sinne wünsche ich Ihnen einen wunderbaren Tag,
mit den allerbesten Grüßen, Ihre Dora Heldt

Ferien? So ein Stress!

Eigentlich ist die Urlaubszeit doch eine der schönsten des Jahres. Eigentlich. Wenn man nicht voll in die Vorbereitungsstressfalle tappen würde. Zum Ärger meines Liebsten passiert mir das leider jedes Mal. Obwohl ich mir jedes Jahr vornehme, dass ich vor dem nächsten Urlaub ganz entspannt sein werde. Es klappt nie.

Es beginnt immer damit, dass ich zwei Wochen vor der geplanten Reise feststellen muss, dass mein Koffer entweder zu groß, zu klein oder mit einem kaputten Schloss versehen ist. Also telefoniere ich mich durch meinen Freundeskreis, um mir einen zu leihen. Aber entweder sind deren Koffer im Eigengebrauch oder zu groß, zu klein oder haben ein kaputtes Schloss. Deshalb muss ich los, um einen neuen zu kaufen. Dauert mindestens einen Tag. Der fehlt mir bestimmt hinten, weil ich doch noch das Blumengießen, die Post, sämtliche Termine in meiner Abwesenheit, die Umleitung meiner Telefonnummer und den großen Wohnungsputz organisieren muss. Ich muss alles tipptopp hinterlassen, was sollen sonst die Freunde denken, die sich um meine

Blumen kümmern? Nichts werden die denken, sagt mein Liebster, weil die nur die Blumen gießen und nicht in die Ecken gucken. Ich glaube das nicht und putze.

Sicherheitshalber muss ich auch noch alle Klamotten, die ich mitnehme, vorher waschen und bügeln. Man will im schönen Hotel ja nicht rumlaufen wie ein zerknitterter Camper. Beim Bügeln stelle ich jedes Mal fest, dass diverse Knöpfe fehlen, manche T-Shirts plötzlich Flecken haben, bei anderen schon die Nähte aufgehen, also müssen die Sachen ersetzt werden. Ich fahre wieder in die Stadt. Auch weil ich nicht weiß, ob meine Sonnenmilch noch gut ist, die Zahnpasta reicht, mein Badeanzug überhaupt sitzt und meine Flipflops schon vier Jahre alt sind und auch so aussehen.

Zwischendurch kontrolliere ich die Wetteraussichten des Urlaubsziels und sehe mir Panoramabilder des Hotels an. Wegen der Vorfreude. Mein Liebster sitzt mir derweilen dauernd im Weg und bekommt zusehends schlechte Laune, weil ich seiner Meinung nach Hektik verbreite, die überhaupt nicht sein muss. Er würde meine ausufernden Vorbereitungen verstehen, wenn wir beschlossen hätten, sechs Wochen in den Karpaten zu zelten. Da müsste man sicherlich eine exakte Planung machen und genügend Dinge mitnehmen. Aber die Wahrscheinlichkeit, in einem erschlossenen Touristengebiet in Spanien weder Zahnpasta noch Sonnenmilch zu bekommen, die hält er für sehr gering.

Vielleicht hat er recht, aber ganz im Ernst: Wer will denn im Urlaub noch dauernd Dinge besorgen müssen? Eben. Mein Liebster ganz bestimmt nicht.

Mit einem 30-Kilo-Koffer für eine Woche grüßt
Ihre Dora Heldt

Will man das wissen?

Während ich mir Gedanken über diese Kolumne mache, sind weltweit Millionen Menschen damit beschäftigt, Statistiken zu erstellen. Damit wollen sie uns die Welt erklären. Oder uns beruhigen. Oder uns beunruhigen. Das hängt vermutlich davon ab, wer diese Statistik in Auftrag gegeben hat. Und warum er das getan hat.

Natürlich kann man viele Erhebungen mit Neugier, Forschung oder Zufällen erklären, aber muss ich wirklich wissen, dass Zweijährige statistisch gesehen die Altersgruppe mit dem größten Aggressionspotenzial sind? Oder dass 12 Prozent der Männer nie blinken, aber 14 Prozent der Menschen die Kerne von Wassermelonen mitessen?

Eben, das muss ich eigentlich nicht wissen. Ich frage mich nur, warum jemand für diese Untersuchungen tagelang Hunderte von Menschen befragt, die Antworten sorgfältig in einen Computer eingibt und anschließend erschöpft, aber hoffentlich glücklich ein Ergebnis verkündet. Weil das sein oder ihr Beruf ist, würde meine Mutter jetzt sagen. Sie findet Statistiken nämlich interessant. Auch weil die Fragebögen nie sonderlich schwer sind.

Neulich hat sie bei einer Umfrage für Bio-Produkte mitgemacht. Da gab es tatsächlich die Frage, ob man gern Antibiotika im Fleisch möge. Kein normaler Mensch mag das, hat meine Mutter gesagt, die Frage hätte man doch wirklich lassen können. Aber sie hat trotzdem alles beantwortet.

Ich bin mir nicht sicher, ob die Fragen, die für die ganzen Statistiken gestellt werden, wirklich immer klug gewählt sind. Oder vielleicht doch, dafür sind die Ergebnisse dann ja verblüffend.

Meine Mutter hat sowieso die Statistiken über Männer und Frauen am liebsten. Kürzlich hat sie mir erzählt, dass die Männer von heute ja ganz anders sind, als man immer so gedacht hat. 74 Prozent der Männer betrachten mitnichten bei einer Frau das Dekolleté, sondern die Haare. Heute rücken Frauen nicht mehr mit tiefem Ausschnitt, sondern gepflegten Frisuren ins Blickfeld. Das fand meine Mutter gut. 75 Prozent der Männer verbringen auch am liebsten ihre Freizeit mit ihrer Familie, nur 3 Prozent wollen berühmt werden, alle anderen stecken ihr Geld gern in Haus und Garten, nur ein knappes Viertel gibt einen Teil ihrer Einkünfte doch noch für ein Auto aus. Das hat mich sehr erstaunt, aber wenn es statistisch erwiesen ist, muss es ja stimmen.

Unglücklich ist nur der Zeitpunkt dieser Erhebung.

Denn andererseits habe ich in einer Statistik einer Partnerschaftsvermittlung gelesen, dass Frauen heute bei der Suche nach der Liebe ihres Lebens großen Wert auf das Auto legen. Gern Cabrio, nichts Tiefergelegtes, kein Kombi, auf jeden Fall was Besonderes. Und die Männer stecken ihr Geld in den Garten. Also Statistiker, da müsst ihr nochmal ran, es hilft nichts.

Mit 86 Prozent Zuversicht grüßt
Ihre Dora Heldt

Herz- oder Hirnkrise?

Ich habe den Geburtstag meines Liebsten vergessen. Das ist nicht nur unentschuldbar, sondern hat auch entsetzte Reaktionen in meinem Freundeskreis verursacht. Mein Liebster ist sogar zu mir gekommen, obwohl man doch als Geburtstagskind ein Anrecht auf Besuch und Geschenke hat, aber er wollte mich überraschen. Das hat mich natürlich sehr gefreut, wir hatten einen schönen Nachmittag, bis auf die Tatsache, dass dauernd sein Handy klingelte.

Erst beim vierten Anruf habe ich begriffen, dass es lauter Gratulanten waren. Ich bin vor lauter Scham fast ohnmächtig geworden. Abends kamen Freunde vorbei, die selbstverständlich wussten, dass mein Liebster den ganzen Tag schon Geburtstag hatte, und sofort gratulierten. Das hat mich fertiggemacht. Ich suche jetzt die ganze Zeit nach einer Erklärung. Es ist keine Beziehungskrise, ich nehme auch keine Medikamente, ich weiß seit Jahren, wann er geboren wurde, also wie konnte mir das passieren? Ein möglicher Grund könnte die Tatsache sein, dass meine Hirnzellen voller Informationen stecken, die zwar niemand braucht, die aber alles verstopfen.

Stehe ich beim Bäcker, fällt mir sofort ein, dass der Mensch durchschnittlich 35 000 Kekse in seinem Leben isst, sehe ich einen Kinderwagen, weiß ich, dass nur fünf Prozent der Babys am linken Daumen lutschen und dass zehn Prozent aller Kinder glauben, dass Enten gelb sind. Ich habe irgendwo gelesen, dass Tausendfüßler maximal 750 Füße haben, mir gemerkt, dass die Italienerin Sara Simeoni bei der Olympiade 1980 in Moskau die Goldmedaille im Hochsprung gewonnen hat und die Schlümpfe in ihrer Heimat Belgien »Les Schtroumpfs« heißen. Diese Art von Informationen finden in meinem Kopf immer wieder begeisterte und aufnahmebereite Gehirnzellen, die so etwas endlos speichern können. Und zwar nur so etwas. Oder glauben Sie ernsthaft, dass ich mit dem Wissen, dass sich in einem Jahr 8800 Menschen mit einem Zahnstocher verletzen oder Männer öfter aus dem Bett fallen als Frauen, im normalen Alltag punkten könnte? Eben nicht. Aber wegen dieser belegten Hirnzellen vergesse ich den Geburtstag meines Liebsten. Es ist furchtbar. Mein Liebster fand meinen Komplettausfall übrigens überhaupt nicht schlimm. Er nimmt seinen Geburtstag sowieso nicht so ernst und sagte nur, dass er schon oft von meinen überflüssigen Informationen profitiert hat. Dass Lucky Luke 1983 mit dem Rauchen aufgehört hat, bringt er immer an, wenn er sich von Zigarettenqualm belästigt fühlt, und dass ich den Namen von Donald Ducks Vater, nämlich Degenhard Duck, wusste, hat ihn die letzte Runde im Quizduell gewinnen lassen.

An einer Beziehungskrise vorbeigeschliddert, grüßt erleichtert,
beim Ausfüllen eines Geburtstagskalenders,
Ihre Dora Heldt

Wir parken besser

Meine Freundin Nele ist neulich in einem Parkhaus mit einem Mann aneinandergeraten. Und zwar richtig. So sehr, dass sie wutentbrannt ins Café gestürmt kam, in dem ich auf sie gewartet habe. Dieser Mann war mit seinem Geländewagen auf den Frauenparkplatz gefahren, einfach so, ganz frech und unberechtigt. Stellvertretend für alle Frauen hat Nele ihn natürlich sofort angesprochen, er hat aber auf ihren Satz »Schönes Auto, junge Dame« auch noch dämlich reagiert. Sie hätte doch einen normalen Parkplatz gefunden, warum sie sich denn so aufrege. Bevor Nele anfangen konnte, sich richtig aufzuregen, war er einfach gegangen. Und jetzt kochte sie. Ich machte sie darauf aufmerksam, dass ich die Tatsache, dass es Frauenparkplätze gibt, die zum Teil auch noch breiter sind, sowieso seltsam fände. Jeder wüsste inzwischen, dass Frauen einparken können, man muss sich doch nur mal die Statistiken ansehen. Auf einem Parkplatz in der Nähe von Mannheim haben Hochschulmitarbeiter versteckte Kameras aufgestellt, die alle Parkmanöver aufgenommen haben. Und was war das Ergebnis?

Frauen finden schneller Parkplätze, weil sie überlegter suchen, sie parken besser rückwärts ein und stehen schön mittig.

Männer sind meistens zu schnell, an den ersten freien Plätzen fahren sie vorbei, dann schießen sie schief in die Lücke und müssen erst mal rangieren. Deshalb brauchen sie im Schnitt 20 Sekunden, die Frauen hingegen 17. Nele war beeindruckt, auch als ich noch nachschob, dass es mich nicht wundert, dass der Mann in dem großen Auto einen breiteren Parkplatz braucht. Wenn er doch so Schwierigkeiten beim geraden Einparken hat. Während es doch für Frauen eine sportliche Herausforderung ist, irgendwann auch noch die 17 Sekunden zu unterbieten. Nele war inzwischen besänftigt, zumal ich auch noch wusste, dass die schlecht einparkenden Frauen nur denken, dass sie nicht einparken könnten, auch das ist wissenschaftlich untersucht. Mit antrainiertem Selbstvertrauen parken die auch in durchschnittlich 17 Sekunden.

Wieder gut gelaunt zahlten wir unseren Kaffee und gingen gemeinsam zurück zum Parkhaus. Nele bestand noch darauf, mir den Geländewagen von dem Blödmann zu zeigen. Die Frauenparkplätze befanden sich direkt neben dem Eingang, ordentlich ausgeleuchtet, damit jeder sie sofort finden kann. Vielleicht sollten wir da sowieso mal drüber nachdenken. Will ich denn, dass alle wissen, wo ich parke? Den männlichen Falschparker haben wir sofort gefunden. Mit zwei Reifen auf dem Seitenstreifen. Schon klar, mittig zu parken ist schwer für Männer, das sagt auch die Statistik.

Es grüßt, aus der exakten Mitte der Lücke,
Ihre Dora Heldt

Zeichen von Versöhnung

Neulich saß ich mit meiner Mutter in einem Café, als ein sehr sympathischer älterer Mann an unseren Tisch trat, freudig lächelnd meine Mutter begrüßte und sie fragte, ob es ihr so blendend ginge, wie sie aussähe. Statt ihm anzubieten, sich doch zu setzen, sagte meine Mutter hingegen nur in einem frostigen Ton: »Gut, danke, schönen Tag noch«, und wandte sich wieder ab. Der Mann zog sich unsicher zurück, und ich fragte erstaunt, was das denn gewesen wäre. Meine Mutter sah mich mit schmalen Lippen an und sagte: »Den kann ich nicht leiden, der hat meiner Schwester mal sechs Mark aus dem Ranzen geklaut. Und ist dafür nie bestraft worden.«

Zwei Dinge haben mich an diesem Satz irritiert: die sechs Mark und der Ranzen. Die Mark ist lange her, und meine Tante trägt seit über sechzig Jahren keinen Ranzen mehr mit sich herum. Alle Beteiligten waren damals nämlich acht Jahre alt, aber laut meiner Mutter spielt es überhaupt keine Rolle, der sympathische ältere Herr, übrigens ein pensionierter Zahnarzt, ist ein krimineller Idiot, sie kann ihn nicht leiden. Punkt. Es war keine Diskussion möglich. Das ist kein schöner Zug, habe ich ihr gesagt. Man muss sich doch auch mal mit alten Geschichten versöhnen.

Ich halte mich für überhaupt nicht nachtragend. Es ist ein Zeichen des Erwachsenwerdens und eine Form von Toleranz, dass man großmütig verzeihen kann. Meine Mutter hat mich daran erinnert, dass ich mich bis heute weigere, mir irgendwelche Neuigkeiten über eine ehemalige Freundin anzuhören. Ich argumentierte, dass die mir ja auch meinen Freund ausgespannt hätte, woraufhin meine Mutter entgegnete, das sei im Verhältnis auch nicht schlimmer als die sechs Mark aus dem Ranzen. Ich finde schon.

Allerdings fällt mir in dem Zusammenhang auch eine andere Freundin ein, die eine so schlimme Schulzeit in einer norddeutschen Provinzstadt erlitten hat, dass sie sich sogar mal von einem Mann trennte, der einen Job in dieser Stadt angenommen hatte. Sie will da nie wieder hin, noch nicht einmal jemanden besuchen.

Das wird lediglich getoppt von einem Freund meines Bruders. Dessen schlimme Schulzeit hat sich in Bielefeld abgespielt. Und noch heute macht es ihn glücklich, wenn der Fußballverein Arminia Bielefeld verliert. (Ich entschuldige mich an dieser Stelle für sein nachtragendes Naturell bei der Stadt Bielefeld.)

Also scheint das doch wohl öfter vorzukommen, als man denkt. Obwohl das keine gute Charaktereigenschaft ist – so nachtragend zu sein. Ich will das nicht. Und deshalb werde ich jetzt in einen Blumenladen gehen, den ich seit zehn Jahren nicht betreten habe. Damals hat die blöde Floristin mir dreimal nacheinander alte Blumen angedreht. Und war bei der Reklamation auch noch pampig. Jetzt arbeitet sie dort nicht mehr. Und nun gehe ich wieder hin und kaufe mir Rosen. Ich bin nicht nachtragend.

Mit floralen Grüßen,
Ihre Dora Heldt

Diese Jugend von heute

Es gibt eine Sache, um die ich die Jugendlichen von heute sehr beneide. Nein, nicht um ihre digitalen Fähigkeiten, auch nicht um ihre Millionen Facebook-Freunde oder die Möglichkeit, schon mit 17 den Führerschein zu machen, sondern um ihr Selbstbewusstsein.

Auf meiner letzten Lesung schoss so ein selbstbewusster Jugendlicher auf mich zu. Ein sehr junger Mann, etwa 14, schmal, zerzauste Haare, in durchlöcherten Jeans und Weltmeistertrikot. Er nuschelte, weil seine funkelnde Zahnspange eine klare Aussprache nicht zuließ: »Schind Sie Dora Heldt?« Als ich nickte, hielt er mir eine Postkarte und einen Stift hin und befahl: »Ein Autogramm, bitte, für meine Mutter, die ischt ein Fan.«

Sehr ernsthaft und ordentlich führte ich den Befehl aus, danach sah er sich um, drückte einem in der Nähe stehenden Menschen ein Handy in die Hand und sagte: »Und ein Foto von unsch beiden.« Er legte mir wie selbstverständlich seinen Arm um die Schulter, guckte in die Kamera und zeigte mir hinterher das Bild. Wir stehen nebeneinander, er einen halben Kopf kleiner als ich, breit und fröhlich grinsend, und das Einzige, was man sieht, ist diese Zahnspange. Bevor ich ihm anbieten konnte, ein neues Bild zu machen, nickte er zufrieden, sagte »Tollesch Bild« und ging von dannen.

In seinem Alter hätte ich mit so einer Zahnspange nur unter einem Schleier gelächelt. Ich habe überlegt, ob das ein Mädchenproblem ist, ob Jungs mit Zahnspangen einfach durch die Gene selbstbewusster sind. Diese Überlegung dauerte genau fünf Minuten, dann hatte ich eine ähnliche Begegnung mit einer weiblichen Zahnspange. Der einzige Unterschied war, dass sie mir nicht den Arm um die Schulter legte. Das machen Frauen nicht sofort. Auch sehr junge Frauen nicht. Aber das Lächeln war genauso breit.

Sie war im selben Alter wie die Tochter einer Freundin, die ich neulich in der Kleiderabteilung eines Kaufhauses traf. Sie probierte gerade ein sehr kurzes Kleid an, ein hübsches Kleid, aber für ihre Figur, das muss man hier mal sagen, viel zu kurz und zu eng. Hüftspeck und Hintern haben auch 16-Jährige. Das hatte ich damals auch schon, aber ich hätte nie, unter keinen Umständen, ein so kurzes Kleid anprobiert. Die heutige 16-Jährige sah sich begeistert im Spiegel an. Als sie meinen Blick bemerkte, klopfte sie sich schwungvoll auf den Hintern und den Bauch und sagte fröhlich: »Ich kauf mir noch eine Bauch-weg-Hose. Aber dann ist es super.« Sie hat es gekauft, mitsamt der hautfarbenen Miederhose. Und gestrahlt.

So sind sie, die jungen Frauen, selbstbewusst, begeisterungsfähig und viel unkritischer als wir. Und man vergisst den Hüftspeck, wenn man ihr Strahlen sieht. Das beneide ich. Und drücke die Daumen, dass dieses Selbstbewusstsein bleibt.

Mit großer Sympathie für kurze Kleider und Zahnspangen
grüßt Dora Heldt

Schämen erlaubt

Wie viele Situationen haben Sie schon erlebt, in denen Sie sich inständig gewünscht haben, die Erde möge sich auftun und Sie könnten unauffällig, sofort und für die nächste Zeit im Boden versinken? Mir ist das schon oft passiert. Mal weniger schlimm, mal sehr peinlich. Meistens passiert es, wenn man sich zu sicher fühlt und zu wenig nachdenkt.

Hat man lauthals über eine Kollegin gelästert, die man dann beim Verlassen des Cafés plötzlich am Nebentisch entdeckt, dann ist es tatsächlich schwer, aufrecht und in der Gewissheit zu gehen, dass sie einen immer noch gut leiden kann, falls sie das überhaupt jemals getan hat. Mit dem Streifen Toilettenpapier, der sich an die Sohle der Pumps geheftet hat und einen beim lässigen Gang durchs Partyvolk begleitet, wirkt man auch nicht wirklich cool. Genauso wenig wie in dem Moment, in dem man merkt, dass man mit dem teuren Leihwagen trotz des blasierten Gesichtsausdrucks an die falsche Seite der Zapfsäule gefahren ist. Man macht sich beim anschließenden Wendemanöver an der engen Tankstelle dann auch noch weiter zum Affen. Nicht schön war auch ein Zusammentreffen mit der neuen Freundin des Exmanns. So ein Treffen ist nie schön, ganz und gar nicht und überhaupt nicht, wenn man beim Renovieren merkt, dass man noch Abdeckplane braucht, und es nicht für nötig hält, sich für den kurzen Gang zum Baumarkt aus der alten Jogginghose und dem Kermit-T-Shirt zu schälen, geschweige denn sich die Haare zu kämmen und sich zu schminken. Und die neue Freundin dafür gerade vom Friseur kommt.

Aber so etwas ist mir lange nicht passiert. Bis gestern. Da stand ich in Stuttgart am Flughafen. Lange Schlange vor der Sicherheitskontrolle, ich hatte nur Handgepäck und ein ausgesprochen reizendes Gespräch mit zwei Geschäftsmännern hinter mir. Weil die beiden sich so aufplusterten, habe ich das auch getan. Ich erzählte mit selbstbewusster Stimme von wichtigen Terminen, tat so, als wäre ich Vielfliegerin und sehr erfolgreich, und habe sie wirklich beeindruckt. Ich fühlte mich sehr erwachsen und großartig. Und dann kroch meine kleine Reisetasche aus der Sicherheitsschleuse, eine Mitarbeiterin und zwei Polizisten kamen auf mich zu und fragten mich in Hörweite aller anderen sehr deutlich und irgendwie bedrohlich, was ich denn für ein seltsames Behältnis im Seitenfach meiner Tasche hätte. Die wichtigen Geschäftsmänner rückten auf, um besser hören zu können. Ich presste ein undeutliches »Hanhange« heraus, worauf die Mitarbeiterin fröhlich rief: »Ach, eine Zahnspange? So eine Knirschschiene? Na, dann sagen Sie das doch gleich!«

Ich wäre gern versunken, die beiden Männer gingen kichernd weiter und haben im Flieger immer noch blöde gegrinst. Ich fühlte mich einfach zu sicher. So kann's gehen.

Zerknirschte Grüße,
Ihre Dora Heldt

Der erste Eindruck

Meine Freundin Nele hat neulich einen Vortrag zum Thema Körpersprache gehört, der sie völlig begeistert hat. Sie kam am nächsten Tag gleich bei mir vorbei, weil sie die wichtigsten Erkenntnisse sofort mit mir teilen wollte.

Sie setzte sich wie immer auf denselben Sessel und fing sofort an zu erzählen. Ich konnte mich zunächst gar nicht konzentrieren, weil Nele so unbequem saß. Etwas vorgebeugt, mit aufgerissenen Augen und weiträumigen Armbewegungen begann sie ihre Ausführungen. Ich habe sie dann doch unterbrochen und gefragt, ob ihr der Rücken oder die Hüfte wehtat, sie hatte ihre Beine so seltsam nebeneinandergestellt, es sah aus wie gelenkschonend, aber sie winkte nur ab und erklärte, diese Körperhaltung wäre zugewandt, offen und interessiert, ab jetzt würde sie nie mehr die Beine übereinanderschlagen, das könnte man als unfreundlich verstehen.

Ich nickte zustimmend und stellte meine Füße sofort nebeneinander. Zugewandt bin ich allemal. Nele schilderte, was sie gelernt hatte, und machte es auch sofort mimisch und gestisch vor. Alles sehr interessant.

Wussten Sie zum Beispiel, dass man sich beim Lügen mit den Fingern im Gesicht herumwischt? Kinder pressen ihre Hände auf den Mund, wenn sie etwas nicht sagen wollen oder gerade geschwindelt haben. Oder sie verstecken einfach das ganze Gesicht hinter den Händen, weil sie glauben, man sieht sie nach der Lüge nicht.

Bei mir würde das etwas seltsam wirken. Ich stelle mir gerade das Gesicht meines Liebsten vor, wenn ich ihm erst sage, dass ich seinen neuen Arbeitskollegen total sympathisch finde und ihn gern jederzeit mitsamt seiner Frau wieder zum Essen einladen möchte, und danach sekundenlang meine Hände auf meinen Mund presse. Mit geschlossenen Augen. Er würde nachfragen.

Apropos sekundenlang: Die spannendste Erkenntnis war die, dass der erste Eindruck bereits nach 0,15 Sekunden sitzt. Das fand ich überraschend. 0,15 Sekunden. Das ist ein Wimpernschlag. Für den ersten Eindruck, der doch für immer bleibt. Da kann es sein, dass eine Kleinigkeit ein falsches Bild vermittelt. Eine schiefe Brille oder ein Pickel oder ein Mohnkorn zwischen den Zähnen. Andererseits kann man das aber auch ausnutzen. Wenn dieser Arbeitskollege meines Liebsten mich zum Beispiel beim ersten Wimpernschlag mit Gummistiefeln oder Reitpeitsche oder grünen Haaren gesehen und daraufhin in 0,15 Sekunden beschlossen hätte, dass er nie im Leben zu mir zum Essen kommen wolle, wäre es auch nicht schlecht. Dann müsste ich mir jetzt nicht dauernd mit den Fingern durchs Gesicht wischen, wenn er mit seiner komischen Frau bei uns sitzt. Ich konnte die beiden ja auf Anhieb nicht leiden.

Mit zugewandter Sitzhaltung grüßt
Ihre Dora Heldt

Jetzt bloß kein Foto!

Es gibt Tage und Momente im Leben, die unbedingt perfekt sein müssen. Wobei man den Tag und den Moment natürlich nicht beeinflussen kann, aber man selbst sollte perfekt sein. Finde ich. Und darunter leide ich. Sie wissen nicht, was ich meine? Ich erkläre es Ihnen.

Als ich vierzehn war, mitten in meiner Pubertät, beschloss meine Mutter, für viel Geld ein Familienporträt für die Großeltern machen zu lassen. Ich war bis zu diesem Tag von hormonellen Hautproblemen verschont geblieben, fand mich aber zu dick und meine Haare zu dünn. Deswegen entschloss ich mich zu einem damals sehr angesagten zeltartigen, geblümten Kleid und drehte meine Haare auf kleine Wickler. Ich wollte ja hübsch sein. Am Morgen des Termins wachte ich mit dem ersten Pickel meines Lebens auf. Mitten auf dem Kinn. Meine Verzweiflung war grenzenlos, das Fotoshooting der Albtraum, es war ein Desaster. So wie das Foto, das immer noch im Wohnzimmer meiner Eltern steht. Vier lächelnde Menschen und im Hintergrund ein breiter geblümter Pudel, der die Hand aufs Kinn presst. Dieses

Erlebnis hat mich traumatisiert und das Foto lässt die Erinnerung nicht sterben. Bei allen wichtigen Anlässen, die auch noch auf Fotos festgehalten werden, habe ich Angst vor dem Pickel auf dem Kinn oder der Bindehautentzündung oder dem Bad Hair Day.

Und soll ich Ihnen was sagen? Mit Recht. Als ich Abitur machte, hatte ich den ersten Herpes meines Lebens, auf der Hochzeit meiner besten Freundin eine Allergie durch Primeln und ein schulterfreies Kleid (der Ausschlag begann erst vor dem Standesamt zu blühen). Vor meinem ersten Date mit meinem Liebsten war ich bei einem anderen Friseur und hatte Haare wie ein Hamster.

Es zieht sich durch. Ich habe mit Nele über dieses Problem gesprochen und ihr mein Leid geklagt. Sie hat sich die Fotos der jeweiligen Dramen angesehen und gemeint, ich würde mich da reinsteigern. Hätte ich nichts erzählt, wären ihr der Pickel, der Ausschlag oder die Frisur gar nicht aufgefallen. Nur weil ich die Hand so albern auf die Schwachstelle halte, wird der Betrachter darauf hingewiesen. Das wäre typisch für Frauen, kein Mann würde bei einem Makel, den außer ihm niemand sieht, so einen Zirkus machen. Ich wäre doch wohl erwachsen und selbstbewusst genug.

Und genau das muss ich jetzt sein. Mir ist nämlich eine Krone weggebrochen. Rechts oben. Sichtbar beim Lachen. Ich habe da jetzt also eine Zahnlücke. Drei Wochen lang. Bei Kindern niedlich, bei mir nicht. Ausgerechnet jetzt bin ich dauernd eingeladen. Und alle machen Handyfotos. Wenn ich mich verhalte wie immer, werde ich mit auf den Mund gepresster Hand durch die Gegend laufen. Wenn ich mich selbst therapiere, werde ich die nächsten drei Wochen lachen wie ein Pferd. Dann soll Nele mal was sagen. Dass man nichts sieht und so.

Mit noch schiefem Lächeln grüßt
Ihre Dora Heldt

Total herzlos

Lange war ich davon überzeugt, dass Frauen zusammenhalten müssen. Weil wir uns schon als Mädchen gegen das feindliche Lager der Jungs durchsetzen mussten, weil wir immer eine beste Freundin haben, weil Frauen sowieso anders sind, wir mit einer Freundin doch viel besser reden können als mit einem Mann und weil es doch so viele tolle Frauen gibt.

Das könnte man denken. Das stimmt sicherlich auch. Meistens. Aber leider nicht immer. Die Wirklichkeit ist oft ganz anders. Es gibt nämlich auch furchtbare Frauen. Das darf natürlich nur eine Frau sagen. Aber ich mache es jetzt hier mal.

Neulich habe ich drei Frauen, allem Anschein nach auch Freundinnen, beobachtet, die vor mir durch eine Fußgängerzone schlenderten. Eine von ihnen war zunächst von den anderen verdeckt. Als ich plötzlich freie Sicht auf sie hatte, musste ich sehen, dass ihr der Albtraum aller Frauen passiert war. Sie hatte den Rock hinten in die Strumpfhose gesteckt. Und das sah nicht nur ich, das sahen jede Menge Passanten. Ihre Freundinnen haben es mit Sicherheit auch bemerkt. Sie haben nur nichts gesagt. Die Arme lief also mit diesem Ausblick durch die Straße, bis sie sich selbst zufällig im Schaufenster sah und mit hektischen Handgriffen die Sache in Ordnung brachte. Ich habe nicht mitbekommen, ob sie ihre Freundinnen gefragt hat, warum sie ihr diese Peinlichkeit nicht erspart haben, ich hätte die Antwort zu gern gewusst.

Genauso gern hätte ich gewusst, was in der hübschen blonden, schlanken jungen Frau vorgegangen ist, die mit ihrer etwas pummeligen und nicht so hübschen Freundin in einer Boutique war, in der ich auch gerade einkaufte. Die kleine Pummelige kam aus der Umkleidekabine und stellte sich unschlüssig vor den Spiegel. Das Kleid war viel zu eng, hinten kürzer als vorn, hatte einen unvorteilhaften Ausschnitt und war auch noch zu bunt. Es stand ihr überhaupt nicht, es war das Schlimmste, was ich mir an ihr vorstellen konnte. Aber ihre hübsche blonde, schlanke Freundin stellte sich sofort neben sie, tätschelte kurz ihre Schulter und sagte laut: »Das sieht super aus, das musst du kaufen.«

Die kleine Pummelige sah die schöne Freundin stolz an und nickte. »Okay, ich nehme es.«

Warum hat ihre Freundin das gemacht? Sie war weder blind noch völlig unerfahren in modischen Dingen, sie kann es eigentlich nur gemacht haben, weil sie die Schönere der beiden bleiben wollte. Und das finde ich fies.

Liebe Frauen, so was kann man einfach nicht machen. Das Wort Zickenkrieg ist eines der schlimmsten deutschen Wörter, das sollten wir verbannen. Wir können es doch auch schön miteinander haben.

Mit Grüßen nur an echte Freundinnen,
Ihre Dora Heldt

Alles so schön still hier

Bei meiner Freundin Nele liegen die Nerven blank. Das habe ich gemerkt, als wir uns zum Mittagessen in der Stadt getroffen haben. Ganz plötzlich hat sie im Café mit einem Klammergriff meine Hand umfasst, nachdem ich etwas länger als nötig in meiner Tasse gerührt hatte. »Dieses Geräusch macht mich wahnsinnig«, hat sie gezischt. »Leg den verdammten Löffel hin.«

Natürlich war ich sehr irritiert, habe mich auf der Stelle sehr ruhig verhalten und nur einfühlsam die Frage geflüstert, was denn mit ihr los sei. Nele hat mit zusammengepressten Lippen nur den Kopf geschüttelt. Dann hat sie die Bedienung gebeten, die Musik leiser zu stellen, und hat sich über den Verkehrslärm vor dem Lokal aufgeregt.

Außerdem fing sie an, über eine neue Kollegin zu schimpfen, die unentwegt redet, immer sehr laut und in einer Stimmlage, die bei Nele den Instinkt auslöst, ihr kleine Schläge auf den Kopf zu geben, um die Stimme zu senken. Das tut Nele natürlich nicht, denkt aber dauernd daran. Außerdem kaut die Kollegin Kaugummi, was kleine schmatzende Geräusche macht, von denen Nele schon träumt. In der Mittagspause holt die Kollegin ihre Rohkost aus dem Rucksack. Die Kohlrabi-, Karotten- und Selleriestangen kann man natürlich nicht leise essen, das fröhliche Knackgeräusch dringt laut durch sämtliche Büros. Zu Hause hat Nele gerade eine Baustelle vor der Tür, und ihre Nachbarin stellt immer den Radiosender falsch ein, das kann Nele morgens in der Küche hören. Ich sage ihr vorsichtig, dass ich das etwas übertrieben fände. Nele starrt nur abwesend auf das Zuckerpapier, das ich gerade in ganz kleine Fetzen gerissen habe. Sehr leise übrigens. Zu laut für Nele. »Sag mal, bist du so nervös, dass du dauernd mit irgendwelchen Dingen rascheln musst? Das ist ja furchtbar.«

Ich sehe gelassen aus dem Fenster, wo gerade ein angebundener Hund beleidigt bellt, höre das laute Zischen der Espressomaschine und frage mich, warum Autofahrer glauben, dass man mit einer Dauerhupe einen Verkehrsstau aufheben kann. Der wegen einer roten Ampel und einer verstopften Kreuzung entstanden ist. Nele hebt den Kopf und sieht aus, als würde sie gleich losrennen, um den Autofahrer zu beschimpfen. Und genau zu diesem Zeitpunkt habe ich Neles Hand genommen und ihr vorgeschlagen, am Wochenende an die See zu fahren. Wir werden uns einen Moment an den Strand setzen, aufs Wasser starren, und sie wird sehen, dass ihr von Geräuschen blockiertes Gehirn in Nullkommanix wieder frei wird. Ganz so wie eine verstopfte Nase. Man muss sich einfach stille Plätze suchen. Dann hält man die laute Welt auch wieder aus.

Mit raschelnden Grüßen und innerer Ruhe grüßt,
Ihre Dora Heldt

Wenn Oma das wüsste

Einer der Sätze, die in meinem Kopf immer noch mit der Stimme meiner Großmutter gesprochen werden, lautet: »Du bist hier nicht zu Hause«, dem oft der Nachsatz folgt: »Setz dich mal anständig hin.« Gesagt wurde er stets, wenn wir mit ihr im Restaurant, zu Besuch bei Nachbarn oder auch nur Eis essen waren. Außerhalb der eigenen vier Wände flegelte man sich nicht in den nächstbesten Sessel, es wurde nicht mit vollem Mund geredet, nicht gezappelt, es wurde sich benommen. Fertig, aus.

Ich bin heilfroh, dass meine Großmutter heute entspannt auf ihrer Wolke sitzt und nicht mit mir zusammen öffentliche Verkehrsmittel benutzen muss. Da hätte sie nämlich richtig viel zu tun.

Gestern bin ich mit der Bahn zu Anna gefahren, die Fahrt dauert 20 Minuten. Als ich einstieg, musste ich einen jungen Mann erst durchdringend anstarren, bis er widerstrebend die Füße vom gegenüberliegenden Sitz nahm. Im Geiste sah ich meine Großmutter schon Luft holen. Der junge Mann hätte auch seinen Koffer, der auf dem Nebensitz lag, wegräumen können, aber er stellte lieber die Füße runter. Mir war es egal. Nicht egal waren mir die wummernden Basstöne, die aus seinem überdimensionalen Kopfhörer kamen, aber ich wollte jetzt auch nicht als zickige Alte gelten, also habe ich nichts gesagt. (Dabei sollte man Männern, die mit diesen riesigen Kopfhörern durch die Gegend laufen, auch mal mitteilen, dass sie mit den Tellerohren ziemlich albern aussehen. Besonders wenn sie Anzüge tragen.) Eine Station später musste der Koffer doch weg, weil eine Frau davor stehen blieb. Sie hatte chinesisches Essen in einer Pappschachtel dabei, aß es mit schmatzenden Geräuschen und ließ ein paar gebratene Nudeln auf den Boden fallen. Als sie ausstieg, roch der ganze Wagen nach süßsaurer Ente.

Meine Großmutter wäre fassungslos.

Auch bei dem nachfolgenden Fahrgast, der sich lässig auf den Sitz warf, dabei meinen Fuß beim Ausstrecken seiner langen Beine schwungvoll traf und statt einer Entschuldigung Teresa anrief, um mit ihr das Problem von gestern Abend zu besprechen. Er hätte jetzt gerade Zeit, saß schließlich hier nur rum, da könne er ihr doch genauso mitteilen, dass sie sich in Zukunft gehackt legen sollte, wenn sie noch einmal so blöde fragen würde, wo er gewesen sei. Er musste ziemlich laut reden, damit sie ihn verstand und außerdem war er im Recht. Sagte er. Dabei leerte er seine Taschen aus und entsorgte seinen Müll in dem schon überquellenden Behälter.

Ich habe meiner Großmutter im Geist tröstend über den Rücken gestrichen und geflüstert, dass es doch sein könnte, dass all diese Leute gar kein eigenes Zuhause hätten, sondern hier wohnten. Und sich vielleicht deshalb so benehmen. Ich hoffe, sie hat es geglaubt.

Mit Grüßen an Teresa und alle Tellerohren,
Ihre Dora Heldt

Über Männer lästern

In einem Restaurant saßen neulich drei Frauen und ein Mann an meinem Nebentisch. Sie waren bestens gelaunt und unterhielten sich über Gott und die Welt, und das auch noch in ziemlicher Lautstärke. Ich musste dem Gespräch folgen, ob ich wollte oder nicht.

Der Mann gehörte offensichtlich zu einer der Frauen, die anderen beiden waren wohl Freundinnen von ihr. Das Gespräch kreiste fast ausschließlich um ihn. Nur nicht so, wie Sie jetzt denken. Also, von wegen, ein Macho, der drei Damen beschreibt, was für ein toller Hecht er sei. Nein, es war sogar ziemlich genau das Gegenteil.

Er (Dieter) war nämlich bei diesem Treffen dabei, weil seine Frau mit ihm shoppen war. Dieter brauchte eine neue Jeans, und das bekam er allein nicht hin. »Ihr solltet euch die Hosen mal angucken, die er sich kauft«, erzählte sie freudestrahlend. »Viel zu kurz, viel zu weit, sitzen nie.« Dieter lächelte. Er lächelte auch noch, als sie beschrieb, wie die Küche aussah, wenn er gekocht hatte, was er aber selten tat, weil er es auch nicht konnte.

»Alles versalzen und der Herd wie nach einer Bombe.« Wenn sie nicht aufpasste, knallte er auch die guten Gläser in die Spüle und putzte die Arbeitsfläche mit Glasreiniger. »Das hältst du nicht aus!« Die Freundinnen kicherten, Dieter lächelte, wenn auch schmaler.

Überhaupt war er im Haushalt kaum zu gebrauchen. Er trennte keine Bunt- von Weißwäsche, wusch sowieso alles bei 60 Grad, er kaufte im Supermarkt ständig Angebote, die niemand brauchte, vergaß aber jedes Grundnahrungsmittel, weshalb sie dann kurz vor Feierabend noch mal losrasen musste, um die Reste vom Einkaufszettel zu besorgen. Und im Garten war Dieter ähnlich unbegabt, neulich hatte er beim Rasenmähen die ganzen Astern abrasiert, er ist nämlich so farbenblind, also Rot-Grün-Schwäche, die roten Blumen hat er gar nicht gesehen. Die Damen kreischten vor Vergnügen, und Dieter ging mit einem winzigen Lächeln zur Toilette.

In seiner Abwesenheit wurden noch seine erfolglosen Diät-Versuche und seine Unfähigkeit, nur ein einziges Mal einen schönen Urlaub zu buchen, durchgehechelt. »Harz – stellt euch vor, wir waren im Regen wandern, ich buche jetzt nur noch Mallorca.« Die Damen kriegten sich kaum noch ein. Als Dieter an den Tisch zurückkehrte, prusteten sie bei seinem Anblick sofort wieder los. Dieter musste buddhistisch sein oder taub, er lächelte sein feines Lächeln und bestellte die Rechnung. »Alles zusammen, bitte.«

Vielleicht ist die Dame davon überzeugt, dass Dieter ohne sie völlig aufgeschmissen ist. Ich habe aber sein Lächeln gesehen und bezweifele das. Also, meine Damen, plaudern Sie bitte nie die Schwächen Ihres Mannes aus, wenn andere dabei sind. Versprochen?

Im Namen meines Liebsten, meines Bruders,
meines Patensohnes und aller Dieters grüßt
Ihre Dora Heldt

Kostprobe gefällig?

Meine Freundin Nele und ich haben eine neue Leidenschaft. Zum Unverständnis meines Liebsten, der uns dabei auf die Schliche gekommen ist. Dabei haben wir ihn neulich aus lauter Freundlichkeit mitgenommen, und was hat er zum Dank gesagt? Dass er das Vorgehen, sich im Supermarkt durch die Probestände zu futtern, peinlich findet. Das war natürlich Unsinn. Dabei war es ein Geheimtipp, am besten in der Mittagszeit in diesen sensationellen neuen Supermarkt am anderen Ende der Stadt zu fahren.

Ich war das erste Mal zufällig da, ich hatte in der Nähe zu tun und wollte mir in meiner knappen Mittagspause schnell ein Brötchen kaufen. Und eine Flasche Wasser. Auf dem Weg zu den Getränken kam ich an einem Käsestand, einem Wurststand, zwei italienischen Vitrinen, einer Fischtheke, einer Kuchenverkäuferin und einem Weinhändler vorbei. Weil der Supermarkt so schick und neu ist, gab es bei allen Kostproben. Man kann das ja schlecht ablehnen, das wird doch bestimmt als Desinteresse aufgefasst, also habe ich überall munter zugegriffen. Es war auch alles sehr gut, bei manchen bekam ich sogar Nachschlag, und als ich endlich mit meiner kleinen Wasserflasche an der Kasse stand, merkte ich, dass mein Hunger weg war. Ich war satt. Richtig schön satt. Und musste mir noch nicht mal ein Brötchen kaufen.

Ich bin am übernächsten Tag nochmal hingefahren, die Mitarbeiter sollten sehen, dass es mir in ihrem schönen Laden gefallen hat, aber dieses Mal habe ich wenigstens ein paar Tomaten und ein Schwarzbrot gekauft. Das gehört sich so. Dass man auch mal einen Kauf tätigt. Sonst denken die noch, ich käme nur, um mein Mittagessen zu sparen. Nele kam die nächsten Male mit. Ein bisschen Milch oder Senf kann man ja immer mal kaufen. Ihr Lieblingsstand war der mit den Antipasti, da bekommt man auch meistens eine zweite Kostprobe.

Und dann nahmen wir, wie gesagt, meinen Liebsten mit. Zuerst war er irritiert über unsere Zielstrebigkeit, dann entsetzt über unseren Appetit, und zuletzt fand er die Tatsache peinlich, dass wir überhaupt keinen Einkaufswagen mit uns führten. So würde doch jeder sehen, dass wir gar nicht richtig einkaufen wollten, sondern uns nur durch die Probestände futterten.

Wir sagten ihm, dass diese Lebensmittel doch sowieso aufgegessen werden müssten und dass wir für ein bisschen Senf und Dosenmilch doch keinen Wagen bräuchten. Er solle sich doch nicht aufregen, sondern lieber mal diese eingelegten Oliven probieren. Wenn die gut wären, würden wir sie auch bezahlen. Aber als wir diesen Stand erreicht hatten, steckte sich gerade eine Frau die letzten fünf Oliven in den Mund. Fünf auf einmal. Das ist natürlich unverschämt. Man soll doch nur probieren!

Mit reinem Gewissen und klitzekleinen Einkaufszetteln grüßt
Ihre Dora Heldt

Kann denn Mode Sünde sein?

Neulich habe ich eine Rangliste der schlimmsten Modesünden der letzten Jahre gesehen. Ich habe nicht mitbekommen, wer diese Liste unter welchen Gesichtspunkten erstellt hat, trotzdem hat sie mich begeistert. Und ich war gleichzeitig überrascht. Aber auch irgendwie betroffen.

Hätten Sie etwa gedacht, dass das Brautkleid es unter die ersten 30 Plätze der Modesünden schafft? Die meistverkauften bestehen aus gefühlten 50 Meter Stoff, Tüll und Schleife, das kann man angeblich nur mit den Augen der Liebe oder stolzen Mutterblicken ertragen.

Ganz oben waren auch Jogginganzüge, gern aus Ballonseide und in grellen Farben. Sie wurden nur selten in Turnhallen, sondern mehr in Frühstücksräumen von Ferienhotels getragen. Und natürlich zu Hause auf dem Sofa bei der »Sportschau«.

Unvergessen ist auch der Parka im praktischen Bundeswehrschlammton, mit Kapuze und »Atomkraft? Nein danke«-Aufnäher.

Stark waren auch die Schlaghose und die Batikmode genauso wie Folkloreblusen und Strickponchos. Da hat man doch wirklich noch für sein Outfit gearbeitet. Stundenlang gestrickt, gebügelt und gefärbt.

Aber jetzt wird es spannend, ich sage Ihnen, welche Sünden es auf die Medaillenplätze geschafft haben.

Platz drei ging an die Leggings, aus dem Aerobic-Kurs direkt auf die Straße. Angeblich hat sie ein Frauenhasser erfunden. Trotzdem sind sie heute noch verbreitet anzutreffen, zum Glück mittlerweile unter Röcken versteckt. Dafür gibt es sie jetzt in allen Farben.

Bis hierhin muss ich zugeben, dass ich alle diese Sünden begangen habe, tatsächlich alle. Nur bei den Spitzenreitern habe ich mich zurückgenommen.

Platz zwei wurde nämlich die Kittelschürze. Manchmal geblümt, manchmal uni, immer ein Tempotaschentuch in der Schürzentasche und absolut praktisch. Meine Oma trug sie jeden Tag, ich war zu jung. Und zu wenig in der Küche.

Aber jetzt: Platz eins der schlimmsten Modesünden sind die Hotpants. Da bin ich raus. Aber nicht, weil ich zu viel Geschmack habe (siehe oben), sondern weil mir das richtige Bindegewebe fehlte. Wenn ich es jemals gehabt hätte, ich schwöre Ihnen, ich hätte kurze Hosen getragen. Dauernd. Mit Riemchensandalen oder langen Stiefeln. Aber es sollte nicht sein.

So ist das eben mit der Mode. Da strengt man sich ein

Leben lang an und dann das. Modesünden. Was für eine Frechheit.

Mit trendsicheren Grüßen
Ihre Dora Heldt

Diese Launen!

Nele hat mich angerufen, um mir zu sagen, dass sie schlechte Laune hat. Und zwar richtig. Gleich nach dem Wachwerden hat sie bereits gewusst: Dieser Tag wird sich wieder mal anfühlen wie ein Weltuntergang. Ihre Wohnung ist so dunkel und nicht aufgeräumt, das Wetter schlecht, ihr Job langweilig, ihr Kühlschrank leer, sie ist immer noch Single, hat nichts Schönes vor, am Wochenende soll es weiter regnen und im Fernsehen gibt es auch nichts. Ihr Leben ist ein einziges Elend. Um sie aufzumuntern, schlug ich ihr Schokolade vor. Nele fragte nur mit wütender Stimme, ob ich sie in letzter Zeit überhaupt mal angeguckt hätte, sie hätte gerade Kampfgewicht, und das Letzte, was sie sich leisten könnte, wäre Schokolade, zumal sie Tonnen essen müsste, um das Ergebnis »glücklich« zu erreichen. Auch die Vorschläge, zusammen eine Fahrradtour zu machen oder ins Kino oder einen Kaffee trinken zu gehen, stießen auf Ablehnung. Sie würde wieder ins Bett gehen, mehr könne man mit diesem grauenhaften Tag nicht anfangen. Also legten wir auf. Ich kenne diese Tage auch. Diese Weltuntergangstage. Man hockt auf einer schwarzen Wolke und findet alles blöd. Sich selbst am meisten. Und wenn man sich dann doch aufrafft, weil man ja als erwachsene Frau weiß, dass man sich gerade auf eine kindische Art selbst bemitleidet, undankbar und ungerecht dem Leben gegenüber agiert, dann geht das auch schief. Bei meinem letzten Weltuntergangstag habe ich mich irgendwann gezwungen, in die Stadt zu gehen, um mir selbst eine Freude zu machen. Ich fand aber nichts, was dafür in Frage gekommen wäre, alles war entweder unnütz, zu teuer oder passte nicht, also bin ich noch schlechter gelaunt nach Hause gekommen. Und habe sofort meine Freundin Anna angerufen, um ihr zu sagen, dass ich so schlechte Laune habe. Sie hat freundlich, aber etwas unkonzentriert zugehört und dann gesagt, dass ihr das leidtäte, aber sie hätte im Moment so wenig Zeit, weil ihr Sohn Jakob gerade seiner Schwester Lena die Haare geschnitten hätte, weshalb Lena jetzt unter ihrem Stoppelpony heule wie am Spieß, ihrem Bruder aus Wut eine runtergehauen hätte, Axel mit ihm deshalb zum Kinderarzt unterwegs sei und bei ihrer Waschmaschine gerade der Schlauch abgesprungen wäre und sie jetzt schnell das Badezimmer trockenlegen müsse. Sie würde mich aber später zurückrufen. Bis dahin hätte sie dann auch schlechte Laune. Vielleicht könnten wir uns nachher bei einem Glas Wein darüber austauschen.

Und genau in diesem Moment war mein Stimmungstief vorbei. Ich musste nichts trockenlegen, meine Frisur war in Ordnung, ich war unverletzt und musste nicht zum Arzt. Und die Welt würde nicht untergehen, ich musste mich nur mal richtig schütteln. Das habe ich getan und dabei gemerkt, dass wir Sommer haben. Und das Leben doch schön ist.

Mit aufgehellten Grüßen, auch von Anna,
Ihre Dora Heldt

Entspannter Advent

Meine Freundin Anna ist am Ende. Und das in dieser besinnlichen Zeit. Der Grund dafür ist ein Trauma, das sie einmal erlitten hat.

Es ist schon ein paar Jahre her, dass sie Anfang Dezember einen Wasserrohrbruch hatten. So etwas ist immer ärgerlich, in dieser Zeit aber umso mehr, weil aufgrund der notwendigen Renovierungsarbeiten das Familienweihnachtsfest bei ihnen zu einem Desaster wurde. Anna hat nämlich in diesem Stress einfach die rechtzeitigen Weihnachtsvorbereitungen versäumt. Die fielen ihr erst am Heiligen Abend wieder ein. Eine Stunde vor Ladenschluss und drei Stunden vor Ankunft der Familie. Wer schon mal ein Familienweihnachten ohne Tannenbaum, ohne Geschenke, dafür mit Tiefkühlpizza und traurigen Kindern mitgemacht hat, kann sich denken, wie tief der Familienfrieden hing. Ganz tief. Er war auf dem Boden. Und der Satz ihrer beleidigten Mutter: »Du hättest uns ja auch sagen können, dass du dieses Jahr keine Lust hast«, hängt immer noch unter Annas Wohnzimmerdecke.

Seitdem ist sie auf dem Wiedergutmachkurs. Seit

Ende August rüstet sie auf: Kerzen, Engel, Lebkuchen, Zutaten für Pralinen und Eierlikör, Christbaumanhänger und meterweise Geschenkpapier. Geschenke und Kleinigkeiten werden frühzeitig gekauft, verpackt und mit Anhängern versehen. Was sie hat, hat sie. Im ganzen Haus stehen wochenlang Tüten und Kartons. Am Kühlschrank hängt eine Liste, die täglich aktualisiert wird, mit den Terminen der noch zu tätigenden Lebensmitteleinkäufe. Irgendwann kommt der Punkt, an dem Anna komplett den Überblick verliert. Dann nämlich, wenn sie merkt, dass sie bereits die fünfte Kleinigkeit für ihre Schwester gekauft oder zum zweiten Mal Tafelspitz bestellt hat. Aber sie ist immer getrieben von der Angst, dass irgendetwas das perfekte Fest zerstören könnte.

Nele und ich haben Anna schon seit Wochen nicht getroffen und uns jetzt besorgt eingemischt. Wir haben uns das Lebensmittel- und Geschenkelager in ihrem sonst so aufgeräumten Haus angesehen und ausgerechnet, dass sie damit drei Familienfeste ausrichten könnte. Sie hat aber nur eins. Und wir haben sie gefragt, warum sie denn wochenlang gehetzt, angestrengt und fix und fertig durch die Welt rast, nur um am Ende drei Tage auszurichten. Länger würde Weihnachten doch gar nicht dauern. Und das, was sie hier alles gehortet hat, würde glatt für zwei Wochen reichen. Oder eben drei Familien.

Stattdessen sollte sie doch mal entspannen, mit uns

auf den Weihnachtsmarkt zum Punschstand gehen und überlegen, ob eine Tiefkühlpizza am Heiligen Abend tatsächlich die Weltkatastrophe wäre. Wir bezweifeln das.

Mit Anna *im Schlepptau und mahnenden Grüßen an alle, dass die Zeit vor dem Fest doch gerade die schönste ist, grüßen Nele und Ihre Dora Heldt*

Mehr Wein! Mehr Schaumbäder!

Ich bin total entspannt. Trotz oder gerade wegen Weihnachten. Wollen Sie wissen, wie ich das geschafft habe? Ich sage es Ihnen. Bereits Anfang November hatte ich eine sensationelle Idee. Ich gehe dieses Jahr ganz anders mit Weihnachtsmuffeln um. Ich lasse mich nicht mehr von ihren Launen und ihrem Stress anstecken, ich ärgere mich nicht mehr über ihre Streitereien und genervten Sprüche.

Während ich in aller Ruhe Geschenke gekauft, Geschenkpapier und Schleifen ausgesucht, Weihnachtskarten und Einkaufslisten geschrieben habe, bin ich ganz entspannt geblieben. Und dann tauchten sie auf. Manchmal einzeln, manchmal in Gruppen. Da kann man sich sicher sein. Die Weihnachtsmuffel stehen schlecht gelaunt auf Weihnachtsmärkten vor den Glühweinständen, sie bilden die Schlangen vor den Kaufhauskassen, sie gucken böse auf die Lichterketten und rammen einem aus Frust ihre schwere Tüte aus dem Technikkaufhaus ins Kreuz. Dabei sagen sie Sätze wie »Es ist ja alles nur noch Kommerz« oder »Diese furchtbare Beleuchtung frisst dermaßen Energie« oder »Wegen Weihnachten wird jetzt auch noch der Sprit teurer«. Steht man an der Kasse hinter ihnen, muss man hören, dass sie sich sowieso nichts mehr schenken, dieses Tuch wäre nur zur Sicherheit, falls sich nicht alle daran halten. Sie hassen die Weihnachtstage, weil man sowieso nur wieder fünf Kilo zunimmt, im Fernsehen ewig dieselben Filme laufen, draußen wieder mal kein Schnee liegt, drinnen dafür gestritten wird, im Radio nur »Last Christmas« läuft, was ihnen seit 30 Jahren Übelkeit verursacht, und überhaupt nach den Feiertagen die Scheidungsrate sprunghaft nach oben schnellt. Es ist doch alles ganz furchtbar. Sagen sie. Jedes Jahr.

Und deshalb habe ich mir ein Spiel ausgedacht. Wie Bingo. Ganz einfach. Ich zähle sie. Wenn ich mehr als fünf Weihnachtsmuffel am Tag treffe, gibt es dafür ein schönes Abendessen. Bei mehr als zehn auch noch ein Glas Rotwein dazu. 15, und die sind locker auf Weihnachtsmärkten zu schaffen, bedeutet ein Entspannungsbad mit teuren Badezusätzen und mehr als 20 ein Geschenk meiner Wahl. Was soll ich sagen, es läuft super. Jeden Tag schönes Essen, ziemlich viel Rotwein, entspannte Bäder und mehrere neue Klamotten. Die Vorweihnachtszeit kann so schön sein.

Viel Spaß beim Zählen wünscht
Ihre Dora Heldt

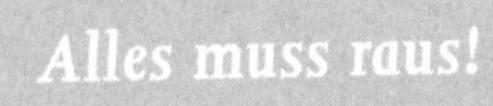

Alles muss raus!

Dieses Jahr ist noch neu genug, um mich weiterhin an meine guten Vorsätze zu erinnern. Nicht mehr an alle, einige haben sich schon in den ersten Tagen als nicht durchsetzbar erwiesen, die habe ich schon mal auf den nächsten Jahreswechsel geschoben. Aber es gibt noch ein paar, die ich abarbeiten will.

Ein Vorsatz ist das Sortieren meiner Schrankschublade. Sie ist ziemlich tief und breit und der Ort in meiner Wohnung, an den alle Papiere, Briefe und Karten wandern, die zwar wichtig sind, aber im Moment nicht sofort erledigt werden müssen. Sie werden meistens vergessen. Und deshalb habe ich mir vorgenommen, diese Schublade zu sortieren. Wie gesagt, sie ist sehr breit und sehr tief und sie war sehr voll. Ich habe zwei Stunden in einem Papierberg auf dem Fußboden gehockt und Zettel für Zettel, Karte für Karte und Umschlag für Umschlag in die Hand genommen. Und dabei sehr viel gelernt.

Erstens: Ich muss dringend an meiner Handschrift arbeiten. Es waren zwölf Zettel in diesem Stapel, auf denen Telefonnummern und Namen notiert waren. Ich kenne niemanden, der »Smrovolf« heißt, brauche demzufolge auch seine Handynummer nicht mehr. Auch »Jrplulö« oder »Mnlopf« gehören nicht zu meinem Bekanntenkreis, was anderes konnte ich aber nicht entziffern.

Zweitens: Ich brauche in den nächsten Jahren weder Weihnachts- noch Geburtstagskarten zu kaufen. Zum einen, weil ich nie welche schreibe, und falls ich das doch noch mache, habe ich in dieser Schublade noch 28 sehr schöne Karten liegen.

Drittens: Ich tausche nichts um. Deshalb muss ich keine Kassenbons mehr aufheben. Ein Großteil der gefundenen Bons dokumentiert Dinge, von denen ich gar nicht mehr wusste, dass ich sie überhaupt besitze.

Viertens: Ich werde nie wieder Gutscheine verschenken. Nie wieder! Weil ich dann hoffentlich auch keine mehr bekomme. Die brauche ich nämlich nicht. Ich habe noch so viele, dass ich dieses ganze Jahr damit zubringen muss, sie einzulösen. Das Problem ist nur, dass vier von den Lokalen, in denen ich essen könnte, bereits geschlossen sind. Ich muss ans andere Ende der Stadt fahren, um eine Maniküre zu bekommen. Ich habe noch einen Gutschein für ein Adventsgesteck, kann einen thailändischen Kochkurs machen, mir ein Tattoo aussuchen, dreimal in die Oper gehen und mich von einem Chinesen massieren lassen, von dem ich aber weiß, dass er mittlerweile wieder in China wohnt. Das wird ein ziemlicher Zeitaufwand.

Und fünftens: Ich werde mein Besteck in diese Schublade legen. Und alle Zettel, die ich bekomme, sofort wegwerfen. Damit ich nie wieder solche blöden Vorsätze fasse.

Auf dem Weg zum Chinesen grüßt
Ihre Dora Heldt

»Was denkst du gerade?«

Ich habe am Wochenende meine Eltern besucht. Im Verlauf des Nachmittags kam mein Vater kurz in die Küche, lehnte sich an die Arbeitsplatte, sah aus dem Fenster und sagte nichts. Das war der Einsatz meiner Mutter. Sie beobachtete ihn eine Zeitlang, tippte ihn an den Arm und fragte laut und freundlich: »Was denkst du?«

Und plötzlich drehte dieser Mann sich zu mir, guckte mich ernst an und sagte: »Das ist übrigens die Frage, die ich am meisten hasse und seit 57 Jahren nicht ein Mal beantworten konnte.«

Das war doch mal eine Ansage. Meine Mutter nahm es überhaupt nicht übel, sie drehte sich auch zu mir, um mitzuteilen, dass sie die Frage »Wie heißt die nochmal?« am wenigsten leiden konnte. Nicht dass Sie jetzt denken, dass ich im Folgenden Zeugin eines handfesten Ehekrachs wurde, das war zum Glück nicht so.

Was mich aber wirklich beeindruckt hat, war die Tatsache, dass diese blöden Fragen anscheinend ganze Generationen überdauern können. Auch mein Liebster denkt anscheinend nichts, wenn er 20 Minuten aus dem

Fenster guckt, dafür vergisst er alle Namen, die ich ihm nenne. Ich kann den Satz »So was hast du doch schon« nicht leiden, genauso wenig wie »Kann man das mitessen?«. »Ist das neu?« kommt bevorzugt bei alten Klamotten vor. »Hast du mir das schon erzählt?« relativ häufig.

Mein Vater und mein Liebster fragen auch gern »Hast du den Schlüssel?« – vermutlich, weil Frauen grundsätzlich die Türen einfach so zuballern und nie wieder allein in die Häuser kommen.

Meine Mutter hat ihre unbeliebtesten Sätze noch um »Komm doch mal zum Punkt«, »Was essen wir denn heute?« und »Was ist denn daran komisch?« ergänzt, während mein Vater »Findest du mich zu dick?«, »Fällt dir nichts auf?« und »Was machst du gerade?« in die Abrechnung wirft.

Es ist nicht zu fassen, aber ich habe jede Frage schon mal gestellt und jeden Satz schon mal gehört. Wir haben nichts gelernt, gar nichts. Da leidet mein Vater 57 Jahre unter ein und derselben Frage, meine Mutter hat sich noch nie ohne Schlüssel ausgesperrt, es ist nie eine vernünftige Antwort gegeben worden, trotzdem überdauern diese Phrasen Generationen. Vielleicht wird es so lange gehen, bis irgendein Mann endlich mal was denkt, während er aus dem Fenster guckt, und irgendeine Frau in einem Gespräch mal schnell auf den Punkt kommt und alle Namen so eindrücklich nennt, dass ihr Mann sie sich für immer merken kann.

Aber bis dahin, befürchte ich, haben wir noch einen langen Weg vor uns. Tut mir leid, Papa, aber da musst du durch.

Mit nachdenklichen Gedanken beim Blick aus dem Fenster grüßt

Ihre Dora Heldt

Liebes-Geflüster

Ich hatte mir neulich telefonisch ein Hotelzimmer gebucht. Als ich vor der Rezeption stand, sagte die freundliche Empfangsdame: »Ach ja, Ihr Mann hat angerufen.« Hat er nicht, dachte ich, sagte aber nichts, weil mir das öfter passiert. Ich habe am Telefon eine Stimme wie ein Kerl. Genauso wie Nele übrigens. Die wurde nämlich letzte Woche wegen einer Terminvereinbarung von einer Handwerksfirma zurückgerufen. Der nette Klempner grüßte sie und wollte ihre Frau sprechen, die um einen Rückruf gebeten hatte. Nele hat nur gehustet und eine Erkältung vorgetäuscht. Eigentlich habe ich mir nie viele Gedanken darüber gemacht, unsere Stimmen sind eben tief und manchmal etwas kratzig, das ist so. Aber jetzt hat Nele einen Artikel gelesen, in dem es darum ging, dass englische Forscher die Wirkung von Stimmen untersucht haben. Sie haben zehn junge Männer in einen Raum gestellt, denen nacheinander Frauen mit unterschiedlichen Stimmfarben, Sprechstilen und Lautstärken ein und denselben Satz gesagt haben. Die Frauen konnte man natürlich nicht sehen, nur hören, anschließend sollten die Männer sie einordnen: Attraktivität, Sympathie, Charakter. Ja, und jetzt raten Sie mal, was dabei herausgekommen ist. Falls Sie nicht darauf kommen, hier ein kleiner Tipp: Nele hält ihre Stimme jetzt für den Grund ihres Singledaseins, und meine reicht auch nur für eine Fernbeziehung.

Das Ergebnis war nämlich, dass die Männer ausnahmslos die Frauen für besonders attraktiv und sympathisch hielten, die mit hohen Stimmen den Satz zart gehaucht hatten. Mit engelsgleichen Tönen und weiblicher Sanftheit. Der Grund für diese männliche Einschätzung liegt wie so oft im Tierreich. Tiere wiegen sich nämlich bei Tierrufen mit hoher Frequenz in Sicherheit, weil die leisen Gegner meistens unterwürfig und unterlegen sind. So ein Erdhörnchen ist natürlich gegen einen Löwen sehr ungefährlich. Und überhaupt nicht bedrohlich. Und nun haben wir die Schlussfolgerung gezogen, dass nur aus diesem Grund viele Frauen in Anwesenheit von Männern ihre Stimmen in ungeahnte Höhen schrauben, dass sie von einer Sekunde auf die andere ein kehliges Lachen in ein hohes Kichern verwandeln. Sie wollen die Männer in Sicherheit wiegen. Um es ihnen dann zu zeigen. Nele hat sofort zugegeben, dass sie das bislang nicht begriffen und vielleicht auch völlig unterschätzt hat. Sie will jetzt an ihrer Stimmfarbe arbeiten. Es ist doch wirklich zu ärgerlich, dass jeder Mann, mit dem sie redet, sofort Angst vor ihr bekommt, nur weil sie diese tiefe Stimme und diese dreckige Lache hat. Das geht nicht. Und sie hat mir geraten, mit meinem Liebsten am Telefon mehr zu säuseln, auch an einer Fernbeziehung müsse man arbeiten. Gut, dass wir diesen Artikel gelesen haben. Und achten Sie bitte auch darauf: Zart und gehaucht sprechen, dann klappt auch der Rest.

Mit Kreideresten im Mundwinkel grüßt
Ihre Dora Heldt

Mein neuer Freund

Ich habe mich verliebt. Das trifft es vielleicht nicht ganz. Sagen wir so: Ich habe ein neues Gute-Laune-Rezept. Es ist nur 48 bis 60 cm hoch, wiegt zwei bis fünf Kilo und stammt aus Australien. Es handelt sich um eine Känguruart namens Quokka.

Nicht, dass Sie jetzt glauben, ich teile ab sofort meine Wohnung, mein Bett und mein Bad mit einem kleinen Känguru – obwohl, wenn ich länger darüber nachdenke …, es ist wirklich niedlich. Aber nein, ich glaube, mein Liebster fände es nicht so lustig und ich mag eigentlich auch keine Haare auf dem Sofa.

Ich kenne das Quokka auch gar nicht persönlich, ich habe nur ein Foto gesehen. Ein Tourist hat ein Selfie geschossen, er selbst zieht eine Grimasse und das kleine Känguru lächelt. Sie haben richtig gelesen, es lächelt. Diese Kängurus gelten nämlich als die glücklichsten Tiere der Welt, und das nur, weil sie eine Mimik haben, als würden sie den ganzen Tag zufrieden vor sich hin lächeln. Egal, was sie gerade tun: schlafen, hüpfen, fressen, Futter sammeln oder Selfies fotografieren, bei all dem wirken sie entspannt, bestens gelaunt und sehr glücklich.

Ich habe dieses Foto zufällig im Netz entdeckt und war nach einer Sekunde schon so gut gelaunt, dass ich ein Quokka-Bild nun sowohl als Bildschirmschoner als auch ausgedruckt in den Kalender geklebt habe. Und sobald ich schlechte Laune bekomme, sehe ich es mir an. Und es wirkt. Jedes Mal. Ein kleines Känguru, das mich anlächelt. Und damit meinen Tag schön macht. Das ist doch kaum zu glauben. So ein kleines Foto für so ein Ergebnis.

Und jetzt stelle ich mir vor, dass nicht das kleine Känguru mich so entspannt und glücklich anlächelt, sondern der erste Mensch, der mir am Tag entgegenkommt. Ein Busfahrer. Oder ein Kioskverkäufer. Oder eine Kellnerin. Niemand von ihnen sieht vermutlich einem Känguru ähnlich, aber sie können bestimmt genauso lächeln. Weil die aber gar nicht wissen, worauf ich warte, könnte ich ja einfach anfangen. Ob ich das so hinbekomme wie mein niedliches Quokka, weiß ich nicht, ich kann es sicherheitshalber ja mal vor dem Spiegel üben. Aber das Känguru macht auch nichts anderes, als einfach gut gelaunt zu lächeln. Wahrscheinlich weiß es gar nicht, dass es das tut, es sieht einfach nur so aus. Und das könnte man doch hinbekommen. Im Zweifelsfall sieht man sich kurz vorher noch das Känguru-Foto an, dann geht das leichter mit dem Lächeln. Und weil wir gerade mitten im Frühlingsanfang stecken, dürfte es doch gar nicht so wahnsinnig schwierig sein. So ein Känguru freut sich doch auch nur, weil es warm ist und so viel blüht. Und weil es das Leben entspannt und schön findet. Aber das wird es auch, wenn man immer lächelt. Also, fangen wir doch mal an: Einfach den Erstbesten entspannt anlächeln, und wir warten ab, was dann passiert.

Mit Grüßen von meinem neuen Freund, dem Quokka,
Ihre Dora Heldt

›Böse Leute‹

Freuen Sie sich auf Dora Heldts
ersten Kriminalroman!

Prolog

Die alte Dame schloss umständlich die Haustür ab und verstaute den Schlüssel in ihrer Handtasche. Eine Nachbarin, die gerade mit dem Hund vorbeigehen wollte, blieb stehen. Sie sprachen kurz miteinander, dann gingen sie gemeinsam weiter.

Er wartete, bis beide Frauen samt Hund aus seinem Sichtfeld verschwunden waren, dann stieg er über den niedrigen Zaun und umrundete das Haus, bis er vor der Terrassentür stand. Es war ein Leichtes, sie aufzuhebeln, für ihn ein Kinderspiel. Sekunden später stand er im Wohnzimmer. Es sah aus wie in den meisten Wohnzimmern dieser Generation. Eine überdimensionale Schrankwand, natürlich Mahagoni, mit integrierter Bar und Fernseher. Das gute Geschirr war hinter einer Glastür, die Tischdecken und Kerzen waren in den Schubladen verstaut, in den unteren Fächern bewahrte man Papiere und Fotoalben auf. Er riss alles raus und ließ es auf dem Boden liegen. Neben der Couchgarnitur lagen Zeitschriften, auch hier gab es keine Überraschungen, Klatsch und Tratsch aus den Königshäusern und

Hochglanzmagazine vom Landleben. Wen interessierte das? Ihn nicht, achtlos ließ er den Stapel fallen.

Er schlenderte durchs Haus, zog hier und da weitere Schubladen und Schränke auf und fragte sich, wie man so spießig leben konnte. Überall standen Fotos, Hochzeitsbilder, Kinderbilder, Aufnahmen, die vor Ewigkeiten gemacht worden waren, damals, als die Welt noch in Ordnung und das Leben unendlich war. Er fegte eine Reihe Bilderrahmen vom Schrank und hörte zufrieden das Glas zerspringen. In der Küche stand die obligatorische Eckbank, auf dem Tisch lag eine gestickte Decke, darauf eine Schale mit Obst. So, wie die Bananen aussahen, war es nur noch eine Frage der Zeit, bis die Fruchtfliegen hier einfallen würden. Auf der benutzten Tasse in der Spüle, weiß mit blauem Muster, prangte vorn der Schriftzug »Gisela«. Er hob sie hoch, sah sie angewidert an und ließ sie auf die Fliesen fallen. Ruhig noch ein paar mehr Scherben.

Als sein Handy klingelte, zuckte er zusammen, wieso hatte er vergessen, es leise zu stellen? Er wurde nachlässig, drückte nach einem Blick aufs Display den Anruf weg und ging zurück ins Wohnzimmer. Er würde gleich zurückrufen, gleich, wenn er wieder draußen war. Hier bekam er vor lauter Spießigkeit kaum Luft. Die Sofakissen hatten eine Brokatbordüre, grauenhaft, er riss sie herunter und feuerte sie in eine Ecke. Er musste hier raus, ganz schnell, es reichte. Sein Blick fiel auf ein paar

Geldscheine, die auf der Flurkommode lagen. Die steckte er ein, genauso wie eine teure Sonnenbrille und eine Visitenkarte, die daneben lag. Was wollte die alte Frau mit so einer Brille? Lächerlich. Die Scherben der Bilderrahmen knirschten unter seinen Schuhen, als er durchs Wohnzimmer ging, um das Haus durch die offene Terrassentür zu verlassen. Auf dem Weg durch den Garten zog er die Handschuhe aus. In aller Ruhe, niemand nahm von ihm Notiz.

Ein Freitagmittag Anfang Mai,
bei Sonnenschein

Die Bäckerei mit den wenigen Stehtischen lag in der Nähe des Polizeireviers. Sie war ein beliebter Treffpunkt der Kollegen. Auch jetzt hatte Karl Glück, gleich am Eingang stand Benni, ein junger Polizist, der seit vier Jahren auf der Insel war und zu Karls liebsten Mitarbeitern gehört hatte.

»Benni, mein Junge«, erfreut schlug Karl ihm auf den Rücken und Benni verschluckte sich am Eibrötchen. »Zweites Frühstück?«

Benni brauchte eine ganze Weile, bis er zu seiner normalen Atmung zurückgefunden und sich die Eibrocken vom Ärmel gepult hatte.

»Kannst du nicht warten, bis ich den Mund leer habe?« Er rieb sich eine Träne weg. »Meine Güte, ich wäre fast gestorben.«

»Du musst nicht so schlingen. Das ist nicht gesund. Ich hole mir schnell eine Tasse Kaffee, möchtest du auch noch was? Ich gebe einen aus.«

Als Karl mit zwei Tassen zurückkehrte, musste Benni sich zwischendrin immer noch räuspern. Als er endlich wieder bei Stimme war, fragte er Karl: »Sag mal, fällt dir zu Hause die Decke auf den Kopf? Ist deine Frau noch zur Kur?«

Karl nickte. »Ja. Noch vier Wochen. So eine Hüfte dauert eben. Aber ihr geht es gut da, sie mag ja Bayern. Und ihre Schwester wohnt in der Gegend, die fährt öfter hin.«

»Und du besuchst sie gar nicht?« Benni musterte ihn erstaunt. »Du bist Rentner, du hast jetzt Zeit. Fahr doch mal hin und mach dir ein paar schöne Tage.«

»Ach, weißt du«, Karl guckte gequält. »Ich fahre ja nicht so gern Zug, mir wird da schnell übel, und Gerda ist ja in einer Klinik, die liegt noch hinter Nürnberg, das ist von hier aus eine Ewigkeit. Wenn sie entlassen wird, fahre ich hin und hole sie ab. Bis Hamburg mit dem Zug, da treffe ich mich dann mit meinem Sohn, und der nimmt mich mit dem Auto mit. Meine Frau findet das in Ordnung. Sie hat gesagt, ich würde sie da nur stören.«

»Aha.« Benni sah ihn an. »Langweilst du dich?«

»Ich?« Karl lachte. »Also bitte. Ich und Langeweile, ich weiß nicht mal, wie man das schreibt. Ich mache dieses und jenes, vorhin war ich schon bei Onno Thiele, apropos, du weißt, dass seine Tochter bei euch anfängt, oder?«

Benni nickte. »Maren Thiele, das weiß ich, das hat Runge uns schon vor ein paar Wochen erzählt. Sie hat sich aus privaten Gründen hierher versetzen lassen. Und der Kollege Schneider wollte ja wegen seiner Freundin nach Münster. Die haben einfach die Dienststellen getauscht. Was sind denn ihre privaten Gründe? Kommt sie auch aus Liebe?«

»Nein«, Karl schüttelte den Kopf. »Oder im Gegenteil.

Sie hat sich vor einem Jahr von ihrem Freund getrennt. Und danach hat sie wohl Heimweh bekommen. Sie ist ein Inselkind, hier geboren, hier aufgewachsen, hier zur Schule gegangen, und jetzt kommt sie zurück. Was will sie auch in Münster? Das ist ja so weit weg vom Meer.«

Schulterzuckend griff Benni zu seiner Tasse und trank den Rest Kaffee aus. »Dafür hat Münster andere Qualitäten. Da ist bestimmt mehr los als hier. So, ich muss los, hab jetzt Dienst. Danke für den Kaffee.«

Bevor er gehen konnte, hielt Karl ihn am Ärmel fest. »Warte mal, Benni. Sag mal: Hier ist doch auch einiges los? Habt ihr schon eine Spur bei den Einbrüchen?«

»Karl«, beruhigend klopfte ihm Benni auf den Arm. »Du bist in Pension, wir kriegen das schon hin.«

»Du kannst doch mal was sagen.«

»Ich darf das gar nicht, Karl, du bist jetzt Zivilist und hast mit den Ermittlungen nichts mehr zu tun.«

»Benni!« Empört ging Karl einen Schritt zurück. »Du beißt gerade in die Hand, die dich gefüttert hat. Ich war dein Chef, und zwar einigermaßen erfolgreich, was hast du nicht alles von mir gelernt? Schon vergessen? Da kann man doch ein kleines bisschen Kooperation erwarten. Ich habe einfach immer noch den vielen erfahreneren Blick.«

»Du hast es gerade gesagt: ›Die Hand, die dich gefüttert *hat*.‹ Wir sehen uns, Karl, ich muss jetzt wirklich los.«

Mit einem aufmunternden Klaps auf die Schulter machte Benni sich auf den Weg.